Les gros mots

Gilles Guilleron

Les gros mots

FIRST
Editions

© Éditions First, 2007

ISBN : 978-2-7540-0383-4
Dépôt légal : 2e trimestre 2007
Imprimé en Italie
Dessin de couverture : Catherine Meurisse
Édition : Marie-Anne Jost
Conception couverture : Bleu T
Conception graphique : Georges Brevière

Nous nous efforçons de publier des ouvrages qui correspondent à vos attentes et votre satisfaction est pour nous une priorité.
Alors, n'hésitez pas à nous faire part de vos commentaires à :

Éditions First
27, rue Cassette, 75006 Paris
Tél : 01 45 49 60 00
Fax : 01 45 49 60 01
e-mail : firstinfo@efirst.com

En avant-première, nos prochaines parutions, des résumés de tous les ouvrages du catalogue. Dialoguez en toute liberté avec nos auteurs et nos éditeurs. Tout cela et bien plus sur Internet à www.efirst.com

Introduction

Ami lecteur, prêtez-vous quelques instants à cette petite expérience : dites à haute voix en vous exclamant : « Maison de tolérance, matière fécale ! » Que ressentez-vous, qu'observez-vous ? Rien ! Recommencez encore une fois. Toujours rien.

Bien, maintenant, dites : « Bordel de merde ! » Que se passe-t-il ? Admettez-le… un certain plaisir à prononcer cette formule, à accentuer les syllabes, et peut-être même la réminiscence de situations vécues où vous avez effectivement dit dans un moment d'agacement, de colère, de surprise : « Bordel de merde ! »

Rapprochons maintenant les deux expressions : « Maison de tolérance, matière fécale ! » « Bordel de merde ! »

Immédiatement vous percevez à quel point la première est parfaitement inodore, sans effet, neutre, tandis que la seconde est d'emblée porteuse d'une charge émotive. Et pourtant… Maison de tolérance est bien l'euphémisme utilisé autrefois pour désigner une maison close, autrement dit « un bordel » ! Matière fécale est bien l'expression pour désigner les fèces, les excréments, les selles, autrement dit « la merde » !

Voilà donc deux expressions dont la signification est en apparence identique et qui ne produisent pas du tout les mêmes effets. La raison ? La première utilise un vocabulaire appartenant au registre courant ; la seconde relève de l'univers des gros mots…

C'est dans cet univers du gros mot, du juron, de l'injure et de l'insulte que nous vous proposons d'entrer.

Gros mot, juron, injure ou insulte ?

D'abord le **gros mot**. La plupart des dictionnaires conviennent qu'un gros mot est grossier, c'est-à-dire cru, incorrect, indélicat, obscène, scatologique, vulgaire, et que, par conséquent, il offense la pudeur par son ignorance des codes de politesse et de bienséance ; de ce point de vue, c'est le domaine sexuel qui fournit le corpus le plus abondant : tout le monde s'accordera évidemment à dire (ou justement à ne pas dire) que « bite », « couilles », « enculé », sont de vrais gros mots.

Mais c'est souvent par l'apprentissage et la pratique des gros mots que l'enfant transgresse ses premiers tabous et découvre l'usage de la liberté : ses gros mots font alors partie de ses premiers secrets et de ses premières expériences sur la puissance du verbal lorsqu'il prononce, plus ou moins innocent, une grossièreté en plein repas de famille… De ce point de vue, les cours de maternelle sont des lieux privilégiés de transmission de cette linguistique grossière.

Ensuite, le **juron**. À l'origine, il permet de… jurer, c'est-à-dire de prononcer le nom de Dieu dans des imprécations blasphématoires comme « nom de Dieu », « bordel de Dieu », mais sa définition s'élargit pour désigner une exclamation ou une interjection contenant des gros mots : « et merde ! », « putain de con ! ». Il ne suppose pas d'autre destinataire que son propre émetteur.

Enfin l'**insulte** et l'**injure**. Entre les deux, la nuance semble mince ; toutes les deux visent à outrager quelqu'un : l'insulte est peut-être plus une attaque de circonstance (sorte de réponse du berger à la bergère), tandis que l'injure cherche à provoquer, à déstabiliser pour causer un tort de manière injuste. Dans ce petit ouvrage, nous laisserons cette nuance de côté. Ce qui est sûr, c'est qu'elles se construisent avec ou sans gros mots : par exemple, « boudin » ou « larve » peuvent devenir des injures mais ne sont pas des gros mots.

Du bon emploi des « gros mots » !

Quel que soit le but recherché et selon la nature du gros mot, du juron, de l'insulte, de l'injure (humour, bassesse, vengeance, dérision, provocation), il est indéniable que l'émetteur ressent un soulagement plus ou moins intense, voire un plaisir. D'ailleurs, quels que soient le milieu, la qualité de l'éducation, la maîtrise de soi, chacun a déjà pu vivre une situation où, d'un coup d'un seul, toutes les bonnes manières ont été oubliées pour lâcher un retentissant : « merde », « connard », « enculé » ou « enflure »…

La permanence de cet usage de la langue à toutes les époques montre à quel point il fait partie intégrante des rapports humains. L'emploi de l'injure s'inscrit toujours dans un contexte et traduit l'état d'esprit de son émetteur : si certaines injures (recensées dans cet ouvrage) peuvent aller très loin dans l'outrage et être utilisées pour manifester ostracisme et intolérance, elles deviennent alors révélatrices d'une chose bien partagée : la bêtise !

Évidemment, de notre point de vue, l'injure doit rester une expression fleurie, un détournement et une appropriation, un trait d'humour ou d'ironie, un écart créatif d'une colère ou d'une surprise, mais jamais le déni de l'autre, c'est-à-dire finalement de soi... De sorte que l'on peut mesurer à l'aune de cette formule, l'humanité de l'émetteur d'une injure : « Dis-moi comment tu injuries et je te dirai qui tu es/hais ».

Pierre Desproges rappelait à juste titre que « l'on peut rire de tout mais pas avec n'importe qui » : c'est l'esprit qui a guidé la réalisation de ce petit livre.

Et maintenant que celui qui n'a jamais prononcé de gros mot, juré, injurié, lève la main ! Et de l'autre commence son initiation...

Et pour l'immense majorité, c'est-à-dire probablement tout le monde, bonne lecture et bon plaisir et, comme disait le maître Rabelais, que tout cela soit bien « chié chanté ! ».

Mode d'emploi

Ce petit livre vous propose pour chaque article, une brève **indication étymologique** qui rappelle à quel point ce vocabulaire grossier est le fruit d'une histoire et d'une tradition.

Ensuite, après un bref rappel du sens initial, vous trouverez **quelques expressions** dans lesquelles le terme a valeur de gros mot, de juron, d'insulte ou d'injure : évidemment tout cela n'a rien d'exhaustif. Les **variantes** proposées sont là pour vous permettre éventuellement de renouveler votre répertoire.

Enfin, l'article vous propose deux manières de dire : le **registre courant** vous renvoie vers du connu dont vous mesurerez tout de suite qu'il n'a pas l'intensité du gros mot ; quant au **registre soutenu**, il s'agit de libres variations dont vous pouvez vous inspirer pour produire à votre tour des formules personnalisées.

La suite alphabétique est ponctuée de **curiosités** à découvrir sous forme d'encadrés.

Pour des raisons de format, nous avons volontairement écarté le vocabulaire argotique dont la richesse supposerait qu'on lui consacrât un ouvrage tout entier.

Enfin, pour votre plaisir, nous ne saurions trop vous recommander de lire à haute voix les définitions. Par exemple, n'hésitez pas à sortir ce modeste ouvrage dans une soirée entre amis : chacun à son tour l'ouvre au hasard à une page et lit à haute voix une définition. Succès assuré.

ABRUTI

De « à » et du latin *brutus*, lourd, pesant, qui n'a pas la raison, comme un animal. Certes, on peut être abruti de fatigue, mais là, une bonne nuit de sommeil, et il n'y paraîtra plus. En revanche, constater que quelqu'un est « un abruti » ou, pour montrer l'étendue de la variété, « une espèce d'abruti », signale que l'humanité compte une unité de moins et le monde animal une unité de plus.

Cette désignation marque l'exaspération ou le découragement devant une personne et la situation qu'elle a provoquée et qui visiblement ne s'en rend pas compte : « t'es vraiment un abruti ! ».

Variantes : taré, pauvre type, débile.

Comment le dire en :

Registre courant : bouché à l'émeri ; ne comprend rien.

Registre soutenu : éprouve quelques difficultés à saisir les enjeux de la situation.

⚠ *Ne pas confondre dans la précipitation de vouloir bien injurier (ou un jour de grand rhume !) avec*

« abrouti » qui caractérise un arbre dont les pousses ont été broutées par le bétail.

ANDOUILLE

Du latin *inducere*, introduire. Charcuterie à base d'un boyau de porc dans lequel on place des bas morceaux de viande et qui se mange froide.

Guémené, en Bretagne, et Vire, en Normandie, se disputent la fabrication des meilleures andouilles. Sans prendre de risques, on peut penser que d'autres villes, d'autres régions, voire d'autres pays sont également très bien pourvus en matière d'andouilles de haut niveau.

L'andouille quitte le rayon charcuterie lorsqu'elle désigne une personne qui ne fait pas travailler (involontairement ou intentionnellement) au maximum ses facultés de compréhension ou qui fait le pitre : « arrête de faire l'andouille ». On peut l'employer comme juron en s'autoflagellant avec l'expression : « quelle andouille je suis ! »

Variantes : grosse andouille, andouille de merde, nigaud, ballot.

Comment le dire en :
    Registre courant : bête, maladroit.
    Registre soutenu : quel manque de perspicacité.

⚠ *Si Carmen dit à une cigarière : « passe-moi l'andouille ! », elle ne réclame pas un morceau de charcuterie ou sa prochaine victime masculine, mais la botte de feuilles de tabac !*

ARRIÉRÉ

Construit à partir du latin *retro*, en arrière. Encore une preuve supplémentaire qu'il n'est jamais bon de trop regarder en arrière ! Lorsqu'il désigne une somme impayée, on comprend que l'arriéré nous remet face à une situation financière qu'il va falloir régler, passe encore ; mais s'entendre traiter d'« arriéré » signifie que l'on est pris pour quelqu'un dont les capacités mentales sont sujettes à caution, ce qui évidemment passe moins...

Variantes : abruti, débile, taré.
Comment le dire en :
    Registre courant : attardé, demeuré, idiot.
    Registre soutenu : gastéropode des synapses.

ARSOUILLE

L'origine est inconnue ; à la fin du XVIIIe siècle désignait un souteneur de tripot. Aujourd'hui, il désigne un voyou, une petite frappe, mais il peut aussi rappeler le lieu d'origine où œuvrait l'arsouille : dans ce cas, il insistera surtout sur le penchant pour la bouteille de ladite personne.

Comme le mot désigne quelqu'un qui a mauvais genre, on dira indifféremment « un arsouille » ou « une arsouille ».

Variantes : gouape, soûlot, pochetron.
Comment le dire en :
   Registre courant : voyou, ivrogne.
   Registre soutenu : malandrin ; ta conduite addictive me répugne.

ASTICOT

L'origine est incertaine ; on retiendra celle de *dasticoter* (XVIIe siècle), jargonner, contredire, et celle de l'*astic*, l'outil de cordonnier pour lisser le cuir des semelles.

On aura compris que quand il n'est pas au bout de l'hameçon sous la forme d'une larve de mouche à viande pour attirer le poisson, l'asticot désigne une personne qui ne compte pas beaucoup, qui ne pèse pas lourd (au propre comme au figuré). Traiter quelqu'un d'asticot, c'est exprimer sa condescendance par un léger mépris.

On n'oubliera pas que l'asticot peut aussi désigner la verge et qu'alors, le pouvoir de réduction de cette injure attaque la dimension virile de la personne.

Variantes : drôle d'asticot, asticot de merde, margoulin.

Comment le dire en :

Registre courant : c'est un drôle de zèbre ; pauvre type.

Registre soutenu : misérable ciron.

AVORTON

Construit à partir du verbe latin *abortare*, avorter. Si ce terme désignait autrefois un enfant mal développé, on comprendra facilement qu'il est « prématuré », voire inconscient d'afficher sa colère méprisante en traitant d'« avorton » une personne à la carrure de deuxième ligne de rugby sous prétexte que celle-ci vous aurait doublé dans une file d'attente.

Variantes : demi-portion, nabot.
Comment le dire en :
    Registre courant : gringalet, minable.
    Registre soutenu : hercule de solderie.

Les gros mots d'aujourd'hui

L'usage de la langue des gros mots et des injures s'appuie sur la tradition mais, comme tout phénomène vivant se transforme, s'enrichit ; verlan, argot, détournement de termes techniques, emprunt à d'autres langues se mêlent pour témoigner du plaisir de dire à l'autre.

Voici quelques exemples pour rester chébran :
craignos (minable) ; **balloches** (couilles) ; **baltringue** (balance) ; **biatch** (pute) ; **bouffon** (abruti, connard, dingue) ; **bouli** (cul) ; **bouillave** (baiser) ; **caillera** (racaille) ; **clone** (copieur, imitateur) ; **chelou** (louche en verlan) ; **crevard** (avare, radin) ; **daube** (moins que rien) ; **feuje** (radin) ; **flipette** (trouillard) ; **fuck** (enculé) ; **glaouis** (couilles) ; **kéké** (vantard) ; **Mickey** (pauvre type) ; **narvalo** (taré) ; **pérave** (pourri) ; **poucave** (mouchard) ; **pourraveur** (voleur) ; **quelo** (loque en verlan, grand mou) ; **sèpe** (pisser) ; **suce-boule** (lèche-cul) ; **ta race, ta mère** (formule elliptique pour dire « enculé de ta race, de ta mère ») ; **tafiole**

(pédé) ; **zarbi** (bizarre en verlan, dingue) ; **zobi** (cul) ; **zéber** (baiser en verlan).

Les animaux de l'arche de l'injure

Selon la légende, Noé embarqua dans son arche un couple de chaque animal présent sur terre ; par là même il sauvait aussi toute une série d'insultes et d'injures. En voici quelques exemples avec leur équivalence (pour les oiseaux voir p. 111) : **âne** (bête), **bécasse** (naïve), **cafard** (hypocrite), **chameau** (méchant), **chien** (canaille), **cochon** (dégoûtant), **coyote** (profiteur), **crapaud** (laid), **girafe** (mal proportionné), **limace** (grand mou), **macaque** (affreux), **mule** (entêté), **ours** (mal éduqué), **pachyderme** (lourd), **punaise** (être méprisable), **serpent** (individu dangereux), **sauterelle** (trop grande), **tortue** (lent), **vache** (dur, méchant), **vipère** (malfaisante), **vermine** (peste, être méprisable).

BABOUIN

La racine « bab » est un abrègement de babiller, cynocéphale d'Afrique, en d'autres termes, singe à museau noir allongé ; on voit bien la gentillesse qui accompagne le fait d'être identifié à cet animal. La plupart du temps, on entendra « vieux babouin », l'âge, c'est bien connu, n'arrangeant pas les choses… Cela dit, on reste en famille car le babouin est aussi un primate ; il est seulement sur une autre branche…

Variantes : vieux babouin poilu, plouc.
Le babouin est une variante de « singe » qui désigne le patron en argot.
Comment le dire en :
Registre courant : il n'est pas très fin.
Registre soutenu : ses manières sont quelque peu frustes.

BAISER

Du latin *basiare*, poser ses lèvres sur quelqu'un. Dans ce cas, le verbe embrasser fait aussi l'affaire, car, en pratique on réserve d'abord « baiser » pour suggérer le fait de posséder sexuellement, mais surtout pour évoquer le fait qu'une personne s'est fait avoir, rouler, prendre en faute ; se « faire baiser » est du coup (si l'on peut dire !) très loin des joies charnelles. Ainsi « baiser la gueule » à quelqu'un n'indique pas une embrassade fougueuse, mais signifie qu'on l'a bien eu, trompé ou que l'on a su déjouer son stratagème.

> **Variantes :** enculer, foutre, se faire baiser comme un bleu, baiser jusqu'à l'os, baiser jusqu'au trognon (pour les amateurs de fruits).

Comment le dire en :
Registre courant : prendre, posséder ; rouler, berner, se faire avoir.
Registre soutenu : participer à l'évolution des espèces ; agir de manière fallacieuse ; développer à l'encontre de son prochain des stratégies spécieuses.

⚠ *Une « baisure » n'est pas l'action de « baiser quelqu'un », mais le côté par lequel deux pains se sont touchés dans le four. Mignon, non ?*

BÂTARD

L'origine est incertaine ; retenons celle du germain *bansti*, grange, né dans une grange ou de « bât », conçu sur le bât. Si le terme désigne d'abord une personne dont les parents ne sont pas mariés, il devient une injure quand il signale un comportement grossier, un sans-gêne révélateur d'un manque d'éducation : « quel bâtard ! ». Employé seul, « bâtard », il équivaut à un mépris de base. Tombé en désuétude, il retrouve ces dernières années une seconde jeunesse auprès de la... jeunesse qui l'utilise en alternance avec « bouffon ».

Variantes : bâtard de ta mère, maudit bâtard, chien de bâtard, raclure.

Comment le dire en :

Registre courant : pauvre type, fils indigne.

Registre soutenu : son ignorance des règles de bienséance est consternante.

BEAUF

Abréviation de beau-frère ; personne aux idées étroites, popularisée par une chanson de Renaud et une BD de Cabu ; évidemment si votre sœur ou votre frère s'est marié, vous êtes devenu le beauf de quelqu'un. Outre cette relation filiale, être gratifié d'« espèce de beauf » ou de « mais tu es un vrai beauf » signifie que l'on trouve votre pensée, vos manières ou votre action, peu fines, voire lourdes.

Variantes : abruti, gros beauf, sale beauf, connard de beauf.

Comment le dire en :

Registre courant : gougnafier.

Registre soutenu : goujat, rustre, son attitude trahit sa mauvaise éducation.

BIDON

Du scandinave *bida*, vase. Si dans l'univers de la chansonnette « des gamelles, melles, melles, des bidons, dons, dons... » sont des récipients portatifs pour transporter nourriture et liquide, dans l'univers de l'insulte, un individu « bidon », donc creux comme un récipient, ne transporte que sa superficialité et sa vantardise.

Variantes : bluffeur, bouffon, guignolo.

Comment le dire en :

Registre courant : fanfaron, hâbleur.

Registre soutenu : Tartarin de Tarascon ; modeste au noir.

⚠️ *Si l'insulte « bidon » renvoie à l'inconsistance, il faut éviter de prendre « un bidon » sur le pied lorsqu'il s'agit d'une plaque d'acier laminé.*

BITE

Origine incertaine, sans doute racine indo-européenne *bitan*, il est fendu ; on l'écrit aussi « bitte » comme la pièce verticale (de forme phallique) qui permet l'amarrage des bateaux. Désigne d'abord le sexe masculin ; ce terme est probablement, avec « con » et « cul » pas très éloignés d'un point de vue anatomique, un des premiers gros mots utilisés par les enfants. Il devient une injure dans l'expression « petite bite » légèrement méprisante par son sous-entendu sur la modestie des capacités sexuelles (et autres). Pour un tel mot, la liste des variantes s'allonge démesurément (évidemment !) ; nous resterons dans des proportions raisonnables !

Variantes : quéquette, queue, zob, pine, dard, pompe à foutre, flûte enchantée.

Comment le dire en :

Registre courant : sexe, pénis, verge.

Registre soutenu : corps caverneux, obscur objet de désir.

BLAIREAU

De l'ancien français *bler*, tacheté ; d'abord un petit mammifère, court sur pattes, au pelage clair sur le dos et foncé sous le ventre. Chez nous les hommes, « le blaireau » est quelqu'un qui se la joue, fait semblant d'être au courant, de savoir, d'être branché, alors qu'il n'en est rien ; « gros blaireau » signale une place de choix dans la hiérarchie des « m'as-tu-vu ». Michel Audiard aurait dit « un cave ».

Variantes : kéké, nase.
Comment le dire en :
Registre courant : prétentieux, vantard.
Registre soutenu : le roi n'est pas son cousin.

BORDEL

Diminutif de l'ancien français *bord*, *borde*, petite maison de planches ; au début, il s'agit d'une petite maison, un peu éloignée des habitations où les prostituées reçoivent. Par la suite et sans doute par commodité, cette maison se retrouve au cœur des cités. Ce gros mot est aussi utilisé pour indiquer un grand désordre, une situation mal maîtrisée ou une ambiance très bruyante. Dans certains cas, c'est aussi un juron pour exprimer sa mauvaise surprise « bordel de merde », « bordel de nom de Dieu ». Au Québec, on dira « maudit cul de bordel ».

Variantes : foutoir, boxon.
Comment le dire en :
   Registre courant : désordre, anarchie, pagaille, chienlit.
   Registre soutenu : désorganisation du système référentiel, dysfonctionnement critique.

BOUDIN

Origine incertaine, peut-être l'onomatopée « bod » exprimant une enflure. Si la préparation de charcuterie de sang et de gras de porc, cuite dans un boyau, a ses amateurs, l'insulte « quel boudin » ne sera pas appréciée par la jeune fille en surpoids ou disgracieuse à qui elle s'adressera.

Variantes : cageot, bouboule, baleine, grosse vache, tas.

Comment le dire en :

Registre courant : grosse, enveloppée, gironde.

Registre soutenu : personne bénéficiant d'une surcharge pondérale bien visible.

BOUFFI

De l'onomatopée « buff », indiquant « ce qui est gonflé ». Les canons de la beauté reposent sur une certaine idée de l'harmonie : si cette dernière se retrouve enflée ou gonflée, la beauté s'évanouit. C'est pourquoi traiter quelqu'un de « bouffi » ou, pour amplifier l'insulte, de « gros bouffi », c'est lui rappeler avec mépris que sa corpulence ne l'avantage pas et qu'il ferait mieux de se faire oublier ou de suivre un régime !

Variantes : gros lard, gros plein de soupe.

Comment le dire en :

Registre courant : gonflé, soufflé, Bibendum.

Registre soutenu : pneumatique clermontois.

BOUFFON

Emprunté à l'italien *buffone* pour désigner un personnage de théâtre qui fait rire. Le terme a quitté les planches du théâtre pour devenir une insulte sur la scène politique : en traitant quelqu'un de « bouffon », on lui fait savoir que l'on compte pour rien ce qu'il peut dire ou faire. Aujourd'hui, on retrouve fréquemment cette insulte dans les cités des banlieues : « Eh, t'es un bouffon, toi ! »

Variantes : guignol, rigolo, charlot.
Comment le dire en :
Registre courant : pitre, farceur, plaisantin.
Registre soutenu : histrion, individu peu crédible, votre dialectique laisse à désirer…

BOURRIQUE

De l'espagnol *burrico*, âne. Voilà un animal courageux qui supporte beaucoup comme le rappelle l'expression « chargé comme une bourrique » ; mais cette qualité est souvent oubliée au profit de l'insulte « c'est une vraie bourrique ! » indiquant le caractère têtu, obtus et sans discernement d'une personne.

Variantes : abruti, âne bâté, idiot.
Comment le dire en :
    Registre courant : âne, entêté.
    Registre soutenu : tempérament asinien.

BOUSEUX

Peut-être construit à partir du gaulois *bawa*, boue, saleté. Cette insulte illustre à quel point le citadin n'aime pas trop qu'on lui rappelle ses origines rurales : traiter quelqu'un de « bouseux » (surtout en pleine mégapole), c'est lui signaler que son comportement ou ses propos manquent de finesse et dénotent une certaine rusticité : en d'autres termes, qu'il n'a pas évolué depuis le temps où ses ancêtres vivaient dans la ferme au milieu des animaux.

Variantes : cul-terreux, péquenaud, plouc.
Comment le dire en :
    Registre courant : paysan, rustre.
    Registre soutenu : citadin sur le retour.

BRANLEUR

De l'ancien français *bransler*, secouer ; agiter ; le sens sexuel et masturbatoire s'est imposé avec également le sens de paresseux, de fantaisiste. Un « branleur » désigne donc généralement une personne qui ne fait pas grand-chose, peu efficace, même si elle tente de donner l'apparence du contraire. « Petit branleur » marque une insulte condescendante (branleur certes, mais petit !) ; en revanche « sale branleur » est beaucoup plus incisif et peut marquer le début d'un échange peu amène.

Variantes : feignasse, glandeur, jean-foutre.
Comment le dire en :
Registre courant : fainéant, m'as-tu-vu.
Registre soutenu : je ne suis pas dupe de votre comportement masturbatoire.

BRANQUE

Origine inconnue, peut-être de l'italien *bracco*, braconner, braque. Dans la famille des branques, il y a probablement le « braque », chien de chasse sympathique mais un peu fou et étourdi ; c'est probablement en pensant à lui que l'on traite un individu de « branque » pour lui signifier son comportement de chien fou.

Variantes : débile, dérangé, cinglé.
Comment le dire en :
Registre courant : fantasque, fou.
Registre soutenu : intermittent de la raison.

BURNES

Origine inconnue, peut-être du rouchi, patois de Valenciennes. Si l'on ignore la provenance de ce terme, en revanche on sait parfaitement où le trouver, ou plutôt les trouver ! En effet, il s'agit des gonades mâles, autrement dit des testicules. L'emploi de ce gros mot est plus limité que celui de « couilles », on le retrouvera principalement dans des expressions comme « j'en ai plein les burnes », c'est-à-dire « je suis fatigué, j'en ai assez » ; « lâche-moi les burnes », pour « occupe-toi de tes affaires » ; « quel casse-burnes » pour « quel raseur ».

Variantes : burettes, boules, couilles, olives, roubignoles, roustons, valseuses.

Comment le dire en :
   Registre courant : testicules.
   Registre soutenu : voir le mot « couilles » sans
le prononcer.

BUSE

Du latin *buteo*. Désigne cet oiseau rapace
nocturne qui fige sa tête pour guetter sa proie ;
devenu une insulte, ce terme perd son caractère
aérien pour désigner une personne sotte, ignorante,
dont l'œil signale le caractère idiot. « C'est une vraie
buse » peut marquer une exaspération ou la déception à la découverte d'un comportement d'abruti.
Dans les cas les plus extrêmes on applique même
un coefficient multiplicateur « triple buse ».

   Variantes : abruti, taré, tête de pioche, blonde
(récent).
Comment le dire en :
   Registre courant : sot, ignare, inculte.
   Registre soutenu : béotien, apnéiste (car dans
le fond on n'est pas si bête !).

Ils sont fous ces Bretons

Depuis que Goscinny et Uderzo ont enrichi l'histoire de France en révélant la présence d'un irréductible village gaulois résistant à l'envahisseur romain, au début de notre ère, quelque part dans l'Ouest, plus personne n'ignore le verbe haut des habitants de la Bretagne ; leur langue celtique n'a pas oublié de garder la verdeur de leur caractère. Pour le plaisir et pour enrichir les situations d'exotisme, voici quelques injures bretonnes bien senties :

Amboubal : stupide

Anduilhem daonet : andouille damnée

Babouzef : baveux

Barrikenne didalet : barrique défoncée

Beg chopin : bouche à chopine

Bern kaoc'h : tas de merde

Brammer : péteur

C'hwezerez tan : emmerdeuse

Fas koar : face de Lune

Gagn : charogne

Genaoueg : abruti

Gwiz : truie

Kac'her : chieur

Kaoc'h : merde

Kiez : chienne, salope

Laouenn-dar : cloporte

Lip revr : lèche-cul

Louka : souillon, pouffiasse

Mab ar c'hast : fils de pute

Marmouz kaoc'h : singe de merde

Pemoc'h : cochon

Penn revr : tête de cul

Pich kaoc'h : bite à merde

Revr : cul

Revr poazh : feu au cul

Sac'h kaoc'h : sac à merde

Skider : morveux, petit con

Torr revr : casse-cul

Toull foer : trouillard

Toull ma revr : trou du cul

Georges Brassens

> Dans sa langue qui sentait bon le terroir, Georges Brassens n'oubliait jamais de rappeler qu'il était le fils de Rabelais, c'est-à-dire d'une langue qui ne tournait pas sept fois dans sa bouche pour appeler un séant, un cul, une matière fécale, de la merde. Dès lors, il était naturel qu'il rassemblât des siècles de jurons dans une ritournelle, « La ronde des jurons », dont voici un extrait :
> Tous les morbleus, tous les ventrebleus
> Les sacrebleus et les cornegidouilles
> Ainsi, parbleu, que les jarnibleus
> Et les palsambleus
> Tous les cristis, les ventres saint-gris
> Les par ma barbe et les noms d'une pipe
> Ainsi, pardi, que les sapristis
> Et les sacristis
> Sans oublier les jarnicotons

CANAILLE

De l'italien *cane*, chien. On peut se rappeler que le chien est un mammifère issu par hybridation du loup et que « l'homme est un loup pour l'homme » ; dès lors, on perçoit toute la portée de l'injure « canaille » destinée à dénoncer la malhonnêteté, les compromissions d'un individu. Curieusement, la formule « vieille canaille » prend un tour moins incisif, voire presque affectueux : elle suggère sans doute une légère admiration devant la longévité de l'intéressé dans l'immoralité.

Variantes : fripouille, magouilleur, ordure, salaud, racaille.

Comment le dire en :

Registre courant : coquin, crapule.

Registre soutenu : prédateur à plein-temps.

CHAMEAU

Du latin *camelus*. Il est assez fréquent de confondre ce grand mammifère ongulé à deux bosses dorsales avec son cousin le dromadaire qui n'en possède qu'une (bosse !) ; en revanche, l'insulte « chameau » ou « vieux chameau » ne prête pas à confusion : elle souligne le caractère désagréable, méchant, voire vicieux, d'un individu.

Variantes : cochon, ordure, vache.

Comment le dire en :

Registre courant : personnage désagréable, malotru.

Registre soutenu : vaisseau de l'acrimonie.

⚠ *On ne peut insulter une femme avec « chamotte » en pensant que c'est le féminin de « chameau » : c'est une argile cuite réfractaire.*

CHAROGNE

Du latin populaire *caronia*, la chair de cadavre. Voici une injure forte qui ne sent pas très bon même si le mot est entré en poésie avec Baudelaire (« Une charogne », *Les Fleurs du mal*, XXIX). Se faire traiter de « charogne » suggère un mépris profond doublé d'un vif dégoût métaphorisé par les supposées exhalaisons pestilentielles ; quant à la formule « vieille charogne », elle indique un écœurement total (compréhensible par la temporalité évoquant un état de décomposition avancé !).

Variantes : ordure, pourriture, saloperie, raclure.

Comment le dire en :
> **Registre courant** : ignoble personnage, sale type.
> **Registre soutenu** : être méprisable, concentré de miasmes putrides.

CHATTE

Du latin *catus*. Ce petit félin domestique à poil doux, amateur de souris et animal de compagnie, se retrouve dans de nombreuses expressions : l'une d'elles, telle la fée d'un conte, le transforme en gros mot : « chatte » devient alors synonyme de sexe féminin.

Variantes : con, minou.
Comment le dire en :
> **Registre courant** : sexe, vulve.
> **Registre soutenu** : boîte d'amourette.

CHIEN

Du latin *canis*. Voici un terme qui n'a pas besoin de faire le cabot pour être utilisé dans de multiples expressions. Juron dans la tournure exclamative « nom d'un chien ! », il exprime un fort agacement ou une surprise ; juron également dans la formule « chienne de vie » où il traduit un profond désarroi devant les difficultés de l'existence. Il prend le statut d'insulte pour marquer le manque de générosité d'une personne : « tu es un vrai chien ».

Variantes : merde, putain ; saloperie ; rat.
Comment le dire en :
Registre courant : oh ! et zut ! ; malheur, manque de chance ; avare.
Registre soutenu : diantre, palsambleu ; ô rage, ô désespoir ; trois pièces sans poche.

CHIER

Du latin classique *cacare*, libérer le ventre des excréments. Outre la fonction naturelle qu'il désigne, ce verbe est sans doute un des plus utilisés de la langue française. Ainsi, même si c'est une expression courante, « ça me fait chier » n'indique pas un début de dysenterie mais un ennui, une contrariété, un problème ; en réaction, un sentiment d'exaspération voire de colère pourra se traduire par la menace « ça va chier », avec sa version gazéifiée « ça va chier des bulles ». « Chier dans son froc » sera l'expression d'une grande peur ; « chier dans les bottes » soulignera un comportement inadmissible, tandis qu'un « nul à chier » sera le constat accablé d'une médiocrité. La mise en œuvre de la matière fécale donne lieu à de nombreuses images.

Variantes : emmerder, gonfler, prendre la tête.
Comment le dire en :
Registre courant : embêter, ennuyer, contrarier.
Registre soutenu : mobiliser son fondement pour exprimer son mécontentement ou l'annonce de représailles.

CHIOTTE

Construit à partir du verbe latin *cacare*, chier. Au pluriel, ce gros mot n'en demeure pas moins un lieu d'aisances qui permet de faire ses besoins naturels ; cette proximité excrémentielle lui confère un statut d'insulte dès lors qu'il s'agit de conspuer quelqu'un : ainsi, il n'est pas rare dans les stades de contester une décision de l'arbitre par des « aux chiottes l'arbitre ! ». Quant à l'expression « quelle chiotte ! », elle signale un ennui, une contrariété.

Variantes : pissotière, goguenots ; emmerdement.
Comment le dire en :
Registre courant : cabinet, toilettes ; imprévu.
Registre soutenu : lieu d'efforts ; facteur de stress.

CINGLÉ

Du latin *cingula*, ceinture ; vient du verbe cin-gler, altération de sangler, frapper avec une sangle. Dans une conversation, arriver au constat que votre interlocuteur est « complètement cinglé » signifie qu'il n'a plus toute sa tête ; l'insulter en le traitant de « cinglé », c'est lui indiquer que vous désapprouvez ou que vous ne suivez pas son comportement ou son raisonnement (ou les deux).

Variantes : piqué, cintré, dingue, zinzin, de-meuré, taré, frappadingue, agité du bocal.
Comment le dire en :
Registre courant : fou, débile mental.
Registre soutenu : cette personne souffre d'une altération de ses facultés cognitives.

CLOCHE

Du latin *clocca*, cloche. On dit de cet instrument creux, sur lequel on frappe pour obtenir des sons, qu'il résonne.

C'est sans doute son aspect caverneux (creux donc !) qui a été retenu pour en faire une insulte, lorsque l'on dit de quelqu'un « quelle cloche ! » pour souligner sa maladresse ou sa niaiserie ; en d'autres termes, qu'elle ne « raisonne » pas bien, comble pour une cloche !

Variantes : débile, taré.
Comment le dire en :
   Registre courant : imbécile.
   Registre soutenu : locataire du clocher ; locataire du beffroi (variante du Nord).

COCHON

Origine inconnue. Pour le reste, tout le monde sait qu'il s'agit d'abord d'un mammifère de l'ordre des artiodactyles auquel appartiennent le porc et le sanglier ; c'est probablement à partir de la vision de la porcherie et de la soue où se vautrent ces animaux que l'idée de saleté est venue faire du mot « cochon » un mot grossier.

« Quel cochon » peut suggérer aussi bien un individu malpropre que sa propension à rendre un travail bâclé ; l'exclamation « vieux (ou sale) cochon ! » marque la surprise devant une attitude ou des propos libidineux ; cette orientation se retrouve lorsqu'il est question de livres ou de films « cochons » où la paillardise et la pornographie sont les thèmes principaux.

Variantes : (gros) dégueulasse, obsédé du cul, porno.

Comment le dire en :

Registre courant : dégoûtant, paillard ; grivois.

Registre soutenu : rudologue de terrain ; observateur de la chose.

CON

Du latin *cunnus*, le sexe de la femme. Si pour Gustave Courbet c'est « L'Origine du monde », c'est-à-dire le sexe féminin, pour les personnes qui ne sont pas peintres, ce terme exprime surtout avec une intensité variable une désapprobation, un jugement négatif vis-à-vis d'une situation ou d'un individu.

C'est probablement le gros mot, l'insulte, le juron et l'injure le plus employé de la langue française. Du « petit con » au « grand con », du « jeune con » au « vieux con », du « pauvre con » au « roi des cons », le con se décline à l'infini et permet aussi des tas de comparaisons « con comme… la lune, ses pieds, un âne, un balai », etc.

Variantes : connard, enfoiré, enflure, enculé, crétin…

Comment le dire en :

Registre courant : idiot, imbécile.

Registre soutenu : misérable engeance, anomalie dans le processus d'évolution de l'espèce.

⚠ *Dans le Sud de la France et particulièrement dans le Sud-Ouest, « con » est une véritable ponctuation de la phrase sans valeur particulière, « eh, con ! ».*

CORNICHON

Diminutif du bas latin *cornu*, excroissance.

Lorsqu'il ne désigne pas un petit concombre, ce terme devient une petite insulte ou un petit juron pour souligner la maladresse ou la naïveté ; sa pointe d'acidité provenant sans doute alors du vinaigre dans lequel on conserve cette plante herbacée.

Variantes : andouille, corniaud, empoté, enfariné, gourde.

Comment le dire en :

Registre courant : imbécile, niais.

Registre soutenu : crédule, gaucher des deux mains.

COUILLES

Du latin populaire *colea* ou latin classique *coleus*, les testicules. Ces glandes productrices des spermatozoïdes sont un des gros mots les plus employés de la langue française : au singulier, lorsqu'« il y a une couille », cela indique une erreur, un ennui ; au pluriel « avoir ou se faire des couilles en or » signifie posséder ou gagner beaucoup d'argent ; avoir des « couilles au cul » indique un courage certain ; en revanche, se faire traiter de

« couilles molles » souligne la lâcheté. « Casser les couilles à quelqu'un », c'est l'importuner. Enfin une affaire qui « part en couilles » a peu de chances d'aboutir.

Variantes : boules, burnes, grelots, joyeuses, rognons, roubignoles, roustons, valseuses.
Comment le dire en :
Registre courant : glandes, parties génitales.
Registre soutenu : gonades, formes ovoïdes suspendues dans le scrotum.

⚠ *Un couillard n'est pas quelqu'un qui a des couilles, mais une espèce de catapulte au Moyen Âge, ou le terme qu'on emploie en imprimerie pour désigner le filet qui sépare deux articles.*

CRAPULE

Du latin *crapula*, ivresse. Proférer cette insulte confère à son destinataire un statut de malhonnête : ainsi « une belle crapule » sera attribuée à une personne aux manœuvres financières ou autres plus que douteuses, tandis que « la petite crapule » évoluera dans la malhonnêteté à un stade inférieur.

Variantes : canaille, fripouille, magouilleur, truand.

Comment le dire en :

Registre courant : voleur, escroc.

Registre soutenu : aigrefin, malandrin.

CRÉTIN

Issu du latin *christianus*, chrétien. À l'origine, c'est un mot régional du pays de Vaud en Suisse romande pour désigner une personne souffrant d'une insuffisance thyroïdienne, responsable d'une débilité mentale et d'une dégénérescence physique. On retrouve cette localisation dans les expressions « crétin des Alpes », « crétin du Valais ». Plus généralement on se contentera « d'espèce de crétin » pour signaler l'accablement devant un raisonnement ou un comportement imbécile ; si la consternation mêlée de colère l'emporte, « sombre crétin » sera plus approprié.

Variantes : *fada* (en provençal), abruti, andouille, connard, patate, taré.

Comment le dire en :
> **Registre courant :** idiot, imbécile.
> **Registre soutenu :** pauvre innocent, goitreux congénital.

⚠ *Une crétine n'est pas nécessairement une idiote ; ce terme désignait autrefois un accroissement de sédiments, une alluvion.*

CROTTE

Probablement du francique *krotta*. Si l'origine étymologique est incertaine, l'origine anatomique en revanche ne fait aucun doute : ce terme désigne la fiente des lapins, des chèvres et même des chevaux (là, sa taille le fait devenir crottin). Gros mot, « crotte » prend un caractère enfantin et évite la rudesse de « merde » ; insulte dans « espèce de petite crotte », elle réduit son destinataire avec une connotation de mépris mais n'a pas, malgré tout, la violence de « grosse merde ». Par une bizarrerie sur laquelle nous n'avons pas la place de nous étendre ici, on observera que « ma crotte » peut exprimer un sentiment d'affection. Mystère de la matière sans doute !

Variantes : chiottes, étron, merde ; nullard, saligaud.

Comment le dire en :

    Registre courant : flûte, zut ; pauvre type.

    Registre soutenu : sapristi ; côlon incontinent ; matière globuleuse.

CROÛTON

Du latin *crusta*, croûte. Situé au bout du pain, le croûton se caractérise par sa dureté qui tranche avec la douceur de la mie ; il désigne aussi un vieux morceau de pain rassis ; c'est probablement ce manque de souplesse et de fraîcheur qui permet à l'expression « vieux croûton » d'être une insulte à l'adresse d'une personne que l'on juge dépassée, bornée et formatée.

Variantes : *has been*, ringard.

Comment le dire en :

    Registre courant : arriéré, conformiste.

    Registre soutenu : enfant de la lampe à pétrole, psychorigide.

CUL

Du latin *culus*, le fondement humain. Si cet endroit de l'anatomie humaine concentre une grande variété de sens, son utilisation traduit le plus souvent un mécontentement, un mépris ou une trivialité à caractère sexuel revendiquée. C'est sans doute l'un des premiers gros mots de l'enfant et une des insultes ou jurons les plus employés par les adultes. Voici quelques exemples de cette grande variété : « faux cul » (hypocrite), « lèche-cul » (flatteur), « cul-terreux » (paysan), « cul-bénit » (homme pieux), « petit trou du cul » (prétentieux), « l'avoir dans le cul » (être perdant, abusé), « se casser le cul » (travailler énormément), « tirer au cul » (en faire le moins possible), « avoir le feu au cul » (appétit sexuel prononcé), « péter plus haut que son cul » (vivre au-dessus de ses moyens – intellectuels ou financiers), « se le foutre au cul » (refuser une aide ou un cadeau), « pas de couilles au cul » (manque de courage), « le cul entre deux chaises » (dilemme).

Variantes : popotin, pétard, croupion, derche, train.

Comment le dire en :

Registre courant : fesses, postérieur.

Registre soutenu : séant, fondement de l'humanité, soupirail fécal.

Variations autour du con

Gros mot, juron, insulte, le « con » accepte toute une série de déclinaisons dont voici les plus courantes : connard, connardissime, connasse, connasser, connasson, connaud, conne, connerie, connement, ducon.

Cependant, il convient de ne pas s'exalter et de ne pas voir des cons partout : ainsi à l'oral, il faut se méfier de possibles **con**fusions comme le montrent ces quelques exemples :

Un **condenseur** n'est pas un danseur abruti.

Un **condescendant** n'est pas un con qui descend.

Un **confédéré** n'est pas un con musicien produisant la note ré.

Un **condor** n'est pas un con endormi.

Des **confins** ne sont pas des paradoxes vivants.

Un **conquistador** n'est pas un con amoureux.

Un **conserveur** n'est pas un serveur mal aimable.

Un **convaincu** n'est pas un con qui rend les armes...

Le cul dans tous ses états

Ce gros mot alimente (si l'on peut dire !) l'imagination ; anus et fesses composent un postérieur dont voici un bref florilège : arrière-vénus, baba, coco, coupe-cigare, derche, derrière, échalote, entrée des artistes, fiacre, fion, fouettard, joufflu, lune, moulin à vent, miches, moutardier, oignon, panier à crottes, pavot, pétard, pot, popotin, porte de service, rondelle, train, trou, trèfle, troufignon, troufion, trognon.

DÉBILE

Du latin *debilis*, faible, infirme, estropié… Employé pour caractériser une situation, un comportement ou un raisonnement, ce terme traduit souvent une exaspération fatiguée ; dès lors « c'est complètement débile » marque une fin de non-recevoir, un refus et une condamnation. Dire à quelqu'un « tu es complètement débile » revêt évidemment un caractère insultant ; « pauvre débile » suggèrera en plus un certain renoncement à changer quoi que ce soit.

Variantes : idiot, taré, arriéré, crétin, demeuré.

Comment le dire en :

Registre courant : pauvre d'esprit, stupide ; bête, nul.

Registre soutenu : nullité ambulante, ta fonction neuronale est vraiment défaillante.

DÉGONFLÉ

Construit à partir du verbe latin *conflare*, gonfler, activer le feu en soufflant. Indéniablement, un « dégonflé » se caractérise par un manque de courage et une propension à ne pas assumer la situation. L'« espèce de dégonflé » perd du volume dans les situations qui requièrent un engagement.

Variantes : trouillard, couille molle.
Comment le dire en :
    Registre courant : lâche, peureux, poltron.
    Registre soutenu : pleutre, pourfendeur de nano-dangers.

DÉGUEULASSE

Du latin *gula*, gosier, gorge. Formé sur « gueule », qui renvoie aussi bien à la bouche d'un animal que d'un être humain, « dégueulasse » indique d'abord quelque chose qui ne mérite pas le passage par cet orifice ; plus généralement, il évoque

avec réprobation une situation ou une personne
au sens propre (si l'on peut dire !) comme au
sens figuré. « Gros dégueulasse » indique un degré
supplémentaire et suggère un dégoût prononcé.

Variantes : salaud, cochon, pourceau, pourri.
Comment le dire en :
    Registre courant : dégoûtant, écœurant, répu-
    gnant ; goujat.
    Registre soutenu : immonde, être infâme.

DIABLE

Du grec *diabolos*, celui qui désunit. La tradition chrétienne recommande d'éviter ce représentant du mal ; toutefois les difficultés de la vie
peuvent conduire à « tirer le diable par la queue »,
c'est-à-dire à vivre dans la gêne, notamment financière. Cet avertissement n'empêche pas une utilisation du terme comme juron : l'exclamation
« diable ! » marque l'étonnement ou l'admiration,
tandis que la tournure « le diable m'emporte ! » suggère une exaspération devant un ratage ou une
incompréhension (cet emploi a vieilli). Quant à la
formule comminatoire « allez au diable », elle traduit

une fin de non-recevoir et propose à son destinataire d'aller voir ailleurs, c'est-à-dire en enfer !

Variantes : merde, zut ; putain ; allez vous faire foutre.

Comment le dire en :

Registre courant : oh ; zut ; dégagez, partez.

Registre soutenu : diantre ; la perplexité m'étreint ; songez à voyager.

DIEU

Du latin *deus*. Principe transcendantal, Créateur, Être éternel, ce terme s'épanouit partout, y compris dans le champ des jurons, même s'il revêt alors pour les croyants un caractère blasphématoire. La plupart des tournures sont exclamatives et traduisent avec plus ou moins d'intensité une surprise, une exaspération, une colère : voici la gradation en partant de l'origine « Nom de Dieu ! », « Bon Dieu ! », en passant par des formules multiplicatrices « Bon Dieu, de bon Dieu ! », « Vingt Dieux ! », pour finir par le choc du vulgaire « Bordel de Dieu ! ».

Variantes : voir à « Diable »…
Comment le dire en :
    Registre courant : ciel ; zut et rezut.
    Registre soutenu : étonnement divin.

DINDE

Au XVe siècle, « le coq d'Inde, la poule d'Inde ».
Originaire de l'Inde de Christophe Colomb, c'est-
à-dire d'Amérique, cette femelle du dindon appréciée à Noël avec des marrons, peut aussi servir
d'insulte légère dans « petite dinde » pour désigner
une femme dont le comportement paraît stupide.

Variantes : cruche, gourde, oie, pétasse.
Comment le dire en :
    Registre courant : idiote, sotte.
    Registre soutenu : femme aux marrons.

EMMERDEUR

Du latin *merda*, fiente, excrément. La personne ainsi désignée a donc la capacité de « faire chier », ce qui en cas de constipation chronique présente un intérêt certain ; malheureusement l'emmerdeur n'a pas cette vertu thérapeutique : il passe son temps à créer des ennuis plus ou moins importants à son entourage.

Ainsi, « le bel emmerdeur », « l'emmerdeur de première » ou mieux encore « le roi des emmerdeurs » est un personnage à fuir pour éviter les « emmerdements ».

Variantes : chieur, casse-couilles, enquiquineur.
Comment le dire en :
Registre courant : casse-pieds, raseur.
Registre soutenu : fâcheux, potentiel humain à risques certains.

EMPAPAOUTER

Origine inconnue. Le mystère plane sur l'étymologie de ce terme, en revanche son caractère

injurieux n'échappe à personne : s'entendre dire
« va te faire empapaouter » est une variante populaire de la célèbre invitation au voyage « va te faire
voir chez les Grecs ! » dont la connotation sexuelle
appartient au patrimoine. Cette expression marque l'agacement profond d'une personne qui
souhaite mettre fin à une conversation ou à une
situation qui l'exaspère.

Variantes : se faire enculer ; dégage connard.
Comment le dire en :
Registre courant : cesser la discussion, dégager.
Registre soutenu : voyager vers Sodome.

EMPOTÉ

De « en » et de l'ancien français *pot*, engourdi.
Une plante « empotée » ne doit pas se sentir particulièrement insultée ; au contraire, cela montre
qu'elle a fait l'objet de soins pour rejoindre son
lieu de prédilection, le pot ; en revanche, qualifier
un individu d'« empoté », c'est lui faire comprendre
à quel point sa maladresse est exaspérante.

Variantes : abruti, manche.

Comment le dire en :
Registre courant : maladroit.
Registre soutenu : expert de l'imprécision.

ENCULÉ

Du latin *culus*, cul. Cette injure courante n'est pas (en tout cas au premier abord) un constat sur l'aboutissement d'une relation sexuelle ; elle s'adresse à une personne dont le comportement n'est pas conforme à ce que l'on attendait ; ainsi « quel enculé » marque de l'amertume et de la désapprobation ; « espèce d'enculé » est l'expression d'une colère non feinte. Dans le domaine sportif où le *fair-play* est la règle, « arbitre enculé » signale un désaccord avec une décision de l'homme en noir.

Variantes : connard, enfoiré, fumier, ordure, pédé.
Comment le dire en :
Registre courant : pauvre type.
Registre soutenu : être abject, engeance de bas étage.

ENFLURE

Du verbe latin *inflare*, souffler dans. Cette augmentation de volume est anormale lorsqu'elle concerne une partie du corps ; on ne peut pas non plus la considérer comme normale lorsqu'elle devient une injure, car elle désigne alors un individu prétentieux et vaniteux. « Quelle enflure ! » peut aussi exprimer la bouffée de colère après la découverte d'une malversation commise par une personne que l'on ne soupçonnait pas.

Variantes : crétin ; salaud.
Comment le dire en :
   Registre courant : arrogant, vaniteux ; crapule.
   Registre soutenu : Jourdain de la fatuité ; Janus sans face.

ENFOIRÉ

Du latin *foria*, excrément à l'état liquide. Même si ce terme a pris un sens positif avec Coluche, les *Enfoirés* désignant alors des personnes solidaires avec les plus démunis, il est à l'origine une insulte. « Enfoiré » ou « sale enfoiré » exprime un mécontentement certain devant une attitude jugée discutable ; par exemple quelqu'un qui a abusé de sa situation pour s'octroyer des avantages ou tromper quelqu'un ; « quel enfoiré » peut aussi traduire un mélange pas très clair de réprobation et d'admiration.

Variantes : enflure, embobineur, margoulin, enculé.

Comment le dire en :
Registre courant : arnaqueur.
Registre soutenu : profiteur d'humanité.

ENTUBER

Construit à partir du latin *tuba*, tube. Il s'agit d'une variante cylindrique et plus industrielle d'enculer. Si la signification d'ensemble reste identique, on peut évidemment s'interroger sur les conséquences. « Va te faire entuber » alimente par homophonie cette proximité avec « va te faire enculer » et produit finalement une insulte assez proche. « Se faire entuber » est un constat amer sur une expérience, un événement qui n'a pas pris le tour souhaité initialement.

Variantes : baiser, enculer, empapaouter, jouer du pipeau.

Comment le dire en :

Registre courant : tromper, induire en erreur.

Registre soutenu : duper, manœuvrer dans l'illusion, conduire à une impasse.

ÉTRON

Du francique *strunt*, matière fécale moulée. Se faire traiter « d'étron » ou de « gueule d'étron » n'est pas très plaisant ; en d'autres termes, on indique clairement à la personne qu'elle est considérée comme de la « merde ». Le raffinement, voire la consolation pour l'insulté, c'est qu'ici ce n'est pas la matière telle qu'elle qui est évoquée mais sa forme colombine ; ce qui, à tout prendre, est moins radical que « tas de merde ».

Variantes : merdeux, bâton merdeux, tige merdeuse, merde ambulante.

Comment le dire en :

Registre courant : crotte, pauvre type, moins que rien, nul.

Registre soutenu : substance défécatoire.

EUNUQUE

Du grec, *eunoukhos*, qui garde le lit des femmes. À l'origine, un homme châtré gardant les femmes dans un harem ; aujourd'hui, traiter une personne d'« eunuque », c'est lui montrer du mépris devant son manque de force, de courage et éventuellement de virilité. L'équivalence d'origine latine plus explicite est évidemment « ne pas avoir de couilles au cul ».

Variantes : pétochard, trouillard.
Comment le dire en :
    Registre courant : lâche, poltron.
    Registre soutenu : mutilé des gonades.

FACE

Du latin, *facies*, visage. « Miroir, suis-je la plus belle ? » dit la méchante reine dans le conte de Blanche Neige ; la réponse est non. Du coup, la reine perd la face et ne réfléchit plus… Dans l'univers de l'injure, ce terme, véritable caméléon, prend l'aspect que l'on veut bien lui donner, ce qui est très commode pour injurier et laisse libre cours à l'imagination ; il permet aussi une expansion du temps de l'injure et la renforce ainsi.

Voici les injures de « face » les plus répandues : « face d'abruti », « face de rat », « face de nœud », « face de con », « face de bite », « face d'œuf ».

Variantes : il suffit de « perdre la face » de chaque expression pour avoir une équivalence.

Comment le dire en :

Registre courant : voir les expressions sans « face ».

Registre soutenu : idem.

FADA

D'origine provençale, probablement *fada*, fée. On sait à quel point un coup de baguette magique peut changer la vie ; dans le Midi, celui-ci peut assommer au point de rendre fou ou de faire perdre en partie la raison, c'est pourquoi l'insulte

« fada » permet d'expliquer et de dévaluer les paroles ou les actes incompréhensibles d'un individu.

Variantes : barjo, cinglé, maboul, pété les plombs.

Comment le dire en :

Registre courant : dérangé, fou.

Registre soutenu : abonné absent à plein-temps.

FANTOCHE

De l'italien *fantoccio*, marionnette. Il est toujours préférable de savoir qui tire les ficelles dans un monde de plus en plus complexe ; c'est pourquoi l'insulte « fantoche » a valeur de mise au point et signifie à son destinataire qu'il a été clairement perçu comme un être sans conviction, sans envergure, instrumentalisé et aux ordres de quelqu'un.

Variantes : blaireau, étron, petite merde, polichinelle.

Comment le dire en :

Registre courant : pantin, homme de paille.

Registre soutenu : trompe-l'œil.

FEIGNASSE

Du verbe latin *fingere*, modeler, feindre. Le suffixe en « asse » est souvent annonciateur de connotations péjoratives ; c'est pourquoi lorsqu'il est associé comme ici au terme « feignant » évoquant la paresse, on imagine sans trop de peine que ce n'est pas une gentillesse. Traiter une personne de « feignasse » ou de « grosse feignasse », c'est lui signifier le mépris que l'on éprouve pour son manque d'ardeur au travail.

Variantes : gougnafier, glandeuse.

Comment le dire en :

Registre courant : paresseuse.

Registre soutenu : amazone de hamac.

FÊLÉ

Du verbe latin *flagellare*, frapper. Il n'est pas recommandé d'être fêlé : une cloche fêlée perd son timbre, un œuf fêlé n'a aucune chance chez un célèbre fabricant de pâtes, et une personne fêlée n'a plus toute sa tête. Dès lors, s'interroger devant une personne sur sa santé mentale : « tu n'es pas un peu fêlé ? » relève de l'injure en suggérant une aliénation ; le constat « il est complètement fêlé » permet aussi d'expliquer un comportement dont la logique échappe.

Variantes : cinglé, dingo, givré.
Comment le dire en :
Registre courant : débile, fou.
Registre soutenu : victime de la tectonique crânienne.

FEMMELETTE

Du latin *femina*, femme. À propos d'une personne du sexe féminin, ce terme indiquait d'une manière générale sa faiblesse (avec sans doute une dose de machisme) ; en revanche, adressé à un homme « espèce de femmelette » devient nettement plus agressif : il exprime le dédain consterné devant un manque d'énergie ou de courage.

Variantes : gonzesse, trépané des burettes.
Comment le dire en :
Registre courant : être faible, grand mou.
Registre soutenu : guimauve humaine.

FOIREUX

Du latin *foria*, excrément à l'état liquide. C'est le manque de courage affiché devant un danger qui conduira à traiter quelqu'un d'« espèce de foireux » ; on conviendra cependant que cette insulte garde une certaine tenue par rapport à son équivalent plus direct « tu chies dans ton froc ». « Une personne foireuse » pourra aussi désigner une personne à laquelle on n'accorde pas sa confiance.

Variantes : péteux, pétochard, trouillard ; charlot ; invertébré.

Comment le dire en :

Registre courant : peureux ; inconstant.

Registre soutenu : pourfendeur de mouche bleue ; girouette de plein vent.

FOU

Du latin *follis*, ballon plein d'air. Se dit généralement d'une personne qui souffre de troubles mentaux. Injure de base dans des expressions comme : « espèce de fou », « fou à lier », « complètement fou », elle traduit une inquiétude, une colère, devant un comportement dont la logique échappe ;

elle est le plus souvent utilisée sous ses formes métaphoriques comme : « avoir une araignée au plafond », « avoir disjoncté », « travailler du chapeau », « ne pas avoir la lumière à tous les étages ».

> **Variantes :** azimuté, barjo, cinglé, dingue, sinoque, toqué, zinzin.

Comment le dire en :
> **Registre courant :** insensé, dérangé, détraqué.
> **Registre soutenu :** aliéné mental, psychopathe, cerveau à éclipse.

⚠️ *Si en vous promenant le long de la côte atlantique nord, on vous dit « Oh ! Regarde ces grands fous dans le ciel ! », il ne s'agit probablement pas d'une acrobatie aérienne des parachutistes du club local, mais de ces palmipèdes appelés communément les fous de Bassan.*

FOUILLE-MERDE

Du latin *fodicare*, tourmenter, et de merde (voir ce terme) : se faire traiter de « fouille-merde » n'est pas une remarque d'entomologiste à votre égard, sinon vous seriez un scarabée coprophage, mais une belle insulte pour dénoncer la tendance à chercher les petits et grands secrets chez les autres.

Variantes : fouineur, journaliste people.
Comment le dire en :
Registre courant : curieux, fureteur.
Registre soutenu : exhumeur de ténèbres.

FOUTRE

Du latin *futuere*, avoir des rapports avec une femme. C'est un gros mot lorsqu'il désigne l'acte sexuel ou la production masculine du liquide séminal ; il devient juron à l'ancienne pour marquer l'agacement devant une situation mal maîtrisée « foutre ! » ; mais c'est dans l'injure qu'il s'épanouit en multiples variantes pour signifier un congédiement brutal, « va te faire foutre », « qu'est-ce ça peut te foutre ? » ; une attitude désabusée devant les aléas de la vie « se foutre de tout », « s'en foutre » ; ou un comportement plus tonique pour réagir à une situation : « foutre son poing sur la gueule ».

Variantes : baiser, tringler, niquer ; fichtre,

diable ; s'occuper de ses oignons, de son cul ; dégager, s'en tamponner le coquillard, rien à cirer ; jouer du bourre-pif.

Comment le dire en :

Registre courant : faire l'amour ; zut ; s'occuper de ses affaires ; rien à faire ; casser la figure ; refaire le portrait.

Registre soutenu : connaître bibliquement ; palsambleu ; vaquer à son ego ; après moi le déluge ; jouer du pinceau.

FRIMEUR

Du latin *frumen*, gosier. Dans une société du paraître et de l'image, le frimeur a une place de choix : il s'agit d'une personne à laquelle l'ego surdimensionné dicte une conduite prétentieuse, désagréable pour autrui ; dire à quelqu'un qu'il est « frimeur », c'est lui signaler que l'on n'est pas dupe de ses tentatives pour éblouir l'assistance.

Variantes : crâneur, m'as-tu-vu.

Comment le dire en :

Registre courant : esbroufeur, vantard.

Registre soutenu : afficheur d'ego 3 par 4.

FRIPOUILLE

De l'ancien français *frepe*, guenille. L'humanité aime partager ses qualités mais aussi ses défauts ; c'est probablement pour cela que ce terme est souvent employé au pluriel pour désigner une association de gens malhonnêtes : « une bande de fripouilles » est une tournure assez courante pour qualifier les manœuvres douteuses d'hommes d'affaires ou de politiciens.

Variantes : crapule, canaille, pourri.
Comment le dire en :
    Registre courant : escroc, voyou.
    Registre soutenu : défenseur des gauches de l'homme.

FROUSSARD

À partir du provençal *frous*, bruit strident. On sait que le monde est plein de dangers et que la peur ne permet pas de les éviter ; cependant, pour certains c'est la seule réponse possible.

Dès lors les courageux, c'est-à-dire tous les autres, auront beau jeu de traiter avec une intonation méprisante de « froussard » celui qui manifeste son manque de caractère face à une situation difficile.

Variantes : dégonflé, femmelette, pétochard, poule mouillée, trouillard.

Comment le dire en :

Registre courant : peureux, poltron.

Registre soutenu : couard, névrosé du signal d'alarme.

FRUSTRÉ

Du verbe latin *frustare*, frustrer. Tout, tout de suite… La vie nous apprend que cela n'est guère possible, qu'il faut apprendre la patience et qu'il y a parfois des attentes qui durent toute une vie : c'est pourquoi l'insulte « espèce de frustré » a pour objectif de rabaisser son destinataire en lui rappelant à quel point son attitude est liée à un manque qui le rend pitoyable, notamment dans le domaine sexuel.

Variantes : coincé, constipé.

Comment le dire en :

Registre courant : complexé, inhibé.

Registre soutenu : perdant à temps plein.

FUMIER

Du latin *femus*, boue, fange, ordure. Voilà une injure d'origine rurale qui sent bon le terroir. Traiter quelqu'un de « fumier », c'est le renvoyer à l'organique en état de putréfaction : rien de valorisant. La personne traitée de « fumier » est souvent caractérisée : le premier degré est « espèce de fumier » : le vague de l'expression laisse ainsi une liberté d'interprétation, aussi bien chez celui qui la profère que chez celui qui la reçoit. En revanche « sale fumier », « vieux fumier » indiquent un degré d'exaspération ; on conviendra que l'adjectif « petit » donne à « fumier » une pointe d'acidité et renforce le terme au lieu de l'amoindrir ; de même « beau fumier » ne renvoie pas à une notion esthétique mais à une amplification de l'injure. 80 % de la population vivant aujourd'hui en ville, l'équivalent urbain est « ordure ».

Variantes : merdeux, pourriture, saloperie.

Comment le dire en :

Registre courant : individu écœurant, sans principes.

Registre soutenu : paltoquet ; concentré de miasmes putrides.

GALEUX

Du latin *galla*, gale. Nul n'est à l'abri des maladies et certaines ne sont pas belles à voir surtout lorsqu'elles sont contagieuses comme la gale, dermatose très prurigineuse. On comprend alors que qualifier un individu de « galeux », c'est lui signifier avec un mépris écœuré qu'il n'est pas le bienvenu ; l'injure « brebis galeuse » ajoute une précision en dénonçant la mauvaise influence ou le comportement incompatible d'une personne au sein d'un groupe.

Variantes : sagouin, vérole, vomissure.
Comment le dire en :
Registre courant : crapule.
Registre soutenu : acarien parasite.

GARCE

Du francique *wrakjo*, valet, vagabond. Voilà un terme partageur : autrefois, cette injure était réservée pour désigner avec mépris les prostituées mais, aujourd'hui, elle est utilisée dès lors que l'on a à se plaindre avec véhémence du comportement d'une femme ; « petite (ou grande) garce », « sale (ou belle) garce », « pire (ou dernière) des garces », la formule injurieuse choisie est souvent l'expression d'une déconvenue, d'un désarroi ou d'une colère mal éteinte.

Variantes : putain, salope.
Comment le dire en :
Registre courant : allumeuse, mégère, pimbêche, virago.
Registre soutenu : Vénus de la désillusion.

GIVRÉ

Origine incertaine, peut-être de l'ancien français *joivre*, givre. Si la musique adoucit les mœurs, il est indéniable que le climat joue aussi un rôle important mais pas toujours de la manière attendue : ainsi traiter quelqu'un de « givré » ne signifie que l'on a remarqué sur la personne en question une fine couche blanche de glace et que l'on s'inquiète de son confort, non, bien au contraire ! C'est lui rappeler brutalement que ses propos ou son comportement rappellent ceux d'une personne qui n'a plus toutes ses facultés, en d'autres termes qu'elle est folle. L'emploi de ce terme est probablement lié au fait que l'on considère ici que le froid ralentit l'activité cérébrale. L'intérêt de cette insulte, c'est qu'elle crée aussitôt un froid dans la conversation.

Variantes : dingue, fada, toqué.
Comment le dire en :
  Registre courant : dément, fou.
  Registre soutenu : avoir les neurones en sorbet.

GLAND

Du latin *glans*, fruit du chêne. Traiter une personne de « gland » ne signifie pas que celle-ci a un avenir solide comme un chêne, mais qu'elle est plutôt balourde et empruntée dans sa réflexion ; « quel gland ! » peut aussi souligner un manque d'énergie ou d'enthousiasme au travail.

Variantes : glandeur, glandouilleur, empoté, flemmard, mou du genou.
Comment le dire en :
  Registre courant : imbécile, niais, fainéant.

Registre soutenu : adepte du non-dit et du non-fait.

GODICHE

Origine incertaine, peut-être de « Godon », diminutif de Claude. À son incertitude étymologique, ce terme a le mérite d'opposer une clarté quant à sa signification : voici une injure sans équivoque pour témoigner à une personne combien on la trouve empruntée et sotte dans ses raisonnements ; « l'air godiche » n'est pas non plus un atout pour prétendre faire du management intégré dans une équipe de direction.

Variantes : cruche, empoté, gourde.
Comment le dire en :
   Registre courant : benêt, maladroit.
   Registre soutenu : borgne de l'intelligence.

GOUGNAFIER

Origine incertaine. Ce qui est certain, c'est qu'il s'agit d'une insulte employée pour désigner une personne qui a laissé les bonnes manières aux vestiaires ; curieusement le terme est tombé en désuétude alors que ce qu'il désigne est toujours d'actualité. Par ailleurs « un travail de gougnafier » indiquera un constat amer sur un travail fait n'importe comment et sans conviction.

Variantes : branleur, charlot, pignouf ; boulot de saligaud, de cochon.

Comment le dire en :

Registre courant : goujat, malotru, mufle ; saboteur, bon à rien, travail ni fait ni à faire.

Registre soutenu : rustre ; opérateur sans conviction, production nullissime.

GOUJAT

Du languedocien *goujo*, garçon, valet d'armée. Dans un monde de brutes, le « goujat » peut passer inaperçu car sa caractéristique principale c'est précisément de manquer de finesse et de savoir-vivre ; l'éducation et le temps ne rattrapent pas tout car on peut très bien étendre l'injure « vieux goujat » à l'adresse d'une personne particulièrement offensante dans ses manières.

Variantes : cochon, gougnafier, pignouf, salopard.
Comment le dire en :
Registre courant : mufle, malotru.
Registre soutenu : andropausé des bonnes manières.

GOURDE

Du latin *cucurbita*. Cette espèce de courge ventrue fait partie des légumes qui peuvent quitter la casserole pour servir aussi d'insultes : en effet, apprendre à quelqu'un qu'il est une « vraie gourde », ce n'est pas lui révéler la partie végétale qui sommeille en lui, c'est lui signifier à quel point on le trouve maladroit, empoté et sans initiative.

Variantes : empoté, godiche.
Comment le dire en :
Registre courant : emprunté, gauche.
Registre soutenu : coloquinte humaine.

GREDIN

Du néerlandais *gredich*. Souvent, c'est après coup, que le « gredin » est identifié, démasqué et nommé comme tel et cette injure vient alors ponctuer avec fatalisme la découverte d'un comportement malveillant, malhonnête, « quel gredin ! ».

Variantes : escroc, fumier, ordure.
Comment le dire en :
  Registre courant : bandit, malfaiteur.
  Registre soutenu : percepteur au noir.

GUEULE

Du latin *gula*, gosier, bouche. Bouche de certains animaux carnassiers, ce terme devient un gros mot lorsque l'on demande à une personne trop bavarde de « fermer sa gueule » ; on peut être plus direct avec un simple « ta gueule ». « Faire la gueule » suggère une contrariété visible sur le visage ; se « foutre sur la gueule », un échange de vues avec les poings. « S'en mettre plein la gueule » ou se « bourrer la gueule » indique une propension aux excès de nourriture ou de liquide, ce qui peut amener à « puer de la gueule ».

Variantes : fermer son clapet ; faire la tronche ; se casser la gueule ; se faire péter la sous-ventrière, se rincer le gosier ; refouler du goulot.

Comment le dire en :

Registre courant : se taire ; bouder ; se battre ; se gaver, se soûler ; avoir mauvaise haleine.

Registre soutenu : observer un mutisme ; afficher une attitude maussade ; céder à l'algarade physique ; se sustenter, se désaltérer au-delà du raisonnable ; avoir le palais fleuri.

⚠️ *Si lors de la visite en groupe d'un château, vous entendez quelqu'un s'exclamer devant des armoiries : « oh, vos gueules ! », cela ne veut pas dire qu'il exige le silence de votre part, mais qu'il est admiratif devant la beauté du rouge des armoiries.*

GUGUSSE

Du latin *augustus*, Auguste, nom donné à certains empereurs romains.

Le caractère insultant de ce terme est plus récent que l'empire romain ; il remonte au siècle dernier où l'on donnait le nom d'Auguste à un clown blanc : le diminutif « gugusse » équivaut donc à traiter quelqu'un de « clown » pour lui montrer que l'on ne le prend pas au sérieux.

Si l'on souhaite donner une certaine unité à son insulte on peut donc commencer « son numéro » par un « c'est quoi, ce cirque ? » et continuer par un « c'est qui, ce gugusse ? ».

Variantes : bouffon, charlot, guignol.
Comment le dire en :
Registre courant : amuseur, inconséquent, pitre.
Registre soutenu : théoricien de chapiteau.

GUIGNOL

Nom d'un héros de marionnettes lyonnaises. S'emploie pour désigner un comportement particulièrement agité, désordonné et souvent imprévisible ; une « espèce de guignol » s'applique donc à une personne peu fiable. « Faire le guignol » désigne une action dont la charge comique est plus ou moins volontaire.

Variantes : cabotin, charlot, gugusse.
Comment le dire en :
Registre courant : pantin ; amuseur.

Registre soutenu : marionnette de Mourguet ; histrion.

HARICOT

Du francique *harion*, couper en morceaux. Si le haricot est de mouton (ragoût), il désigne également la légumineuse qui accompagne la viande. En dehors de la cuisine, ce terme peut devenir une injure dans la tournure « il commence à me courir sur le haricot » destinée à manifester son exaspération et les limites de sa patience à un importun.

Variantes : casse-couilles ; emmerdeur.
Comment le dire en :
    Registre courant : casse-pieds, gêneur.
    Registre soutenu : consommateur de limites.

HAS BEEN

De l'anglais *has been*, qui a été. Cette insulte se pratique entre gens de la société médiatique pour désigner une personne dont l'heure de gloire est passée. Être traité de « has been » équivaut donc à être considéré comme une sorte de mort-vivant de la notoriété.

Variantes : dinosaure, plouc, ringard, avoir un train (ou un métro) de retard.

Comment le dire en :

Registre courant : démodé, dépassé.

Registre soutenu : Hamlet errant.

Les mots d'hier

« Avec le temps va, tout s'en va », disait le poète ; pourtant les insultes et les injures résistent bien, mais parfois, après usage, sont un peu usagées. Voici donc la maison de retraite de termes qui ont bien travaillé et ont eu leur heure de gloire. **Allumeuse** (aguicheuse) ; **argousin** (flic) ; **bardot** (âne, pas de commentaire sur notre Brigitte nationale...) ; **ballot** (niais, emprunté) ; **bringue** (grande femme efflanquée) ; **cloporte** (misérable) ; **dadais** (nigaud) ; **détritus** (malpropre) ; **emplâtre** (bon à rien) ; **farfadet** (minable) ; **freluquet** (jeune prétentieux) ; **fossile** (vieux) ; **froussard** (peureux) ; **foutriquet** (minable) ; **ganache** (sot) ; **harpie** (femme pénible) ; **iroquois** (individu qui maîtrise mal la langue) ; **jaquette** (confrérie des homosexuels, être de la ...) ; **louf** (bizarre, inconséquent) ; **mariol** (individu peu sûr) ; **mijaurée** (frimeuse) ; **nouille** (idiote) ; **olibrius** (fanfaron, vantard) ; **paltoquet** (grossier, rustre) ; **patapouf** (emprunté, maladroit) ; **péronnelle** (fière, prétentieuse) ; **queutard** (obsédé sexuel) ; **radin** (avare) ; **résidu** (déchet, souvent « résidu de fausse couche ») ; **sacripant** (escroc, voleur) ; **simplet** (demeuré) ; **soudard** (goujat) ; **tapette** (homosexuel) ; **têtard** (avorton) ; **valetaille** (sous-fifre) ; **virago** (mégère) ; **yoyos** (testicules) ; **zazou** (inadapté).

Les invectives du capitaine Haddock

Le capitaine Haddock est un champion de l'invective et de l'insulte, dont voici un florilège :

anthropopithèque, astronaute d'eau douce, bachi-bouzouk, bougre de crème d'emplâtre à la graisse de hérisson, cannibale emplumé, concentré de moule à gaufres, espèce de chouette mal empaillée, garde-côtes à la mie de pain, mille millions de mille sabords, nyctalope, papou des Carpates, traîne-potence, zouave interplanétaire.

IDIOT

Du latin *idiotes*, sot, et du grec *idiôtês*, simple particulier. Insulte fréquemment employée pour constater la difficulté d'une personne à effectuer les connexions neuronales de base, autrement dit à faire preuve d'une intelligence ordinaire ; dans ce cas, les formules les plus courantes sont : « quel idiot », « espèce d'idiot » « pauvre idiot ». Si la personne visée dépasse la moyenne, on utilise alors « triple idiot ».

Variantes : abruti, crétin.

Comment le dire en :

Registre courant : bête, stupide.

Registre soutenu : explorateur de puits sans fond.

⚠ *« L'idiotisme » n'est pas la maladie qui frappe les idiots ; il s'agit d'une construction linguistique particulière à une langue et impossible à traduire littéralement.*

IMPUISSANT

Construit à partir du verbe latin *potere*, pouvoir. Être impuissant devant la bêtise humaine est une situation assez courante à laquelle chacun s'habitue peu ou prou ; en revanche l'injure « espèce d'impuissant » qui remet en cause la capacité sexuelle d'un individu ne peut provoquer qu'une réaction indignée dans la mesure où elle touche durement à la mollesse de l'intime.

Variantes : couilles molles, sans couilles, dégonflé, eunuque, mou de la bite.

Comment le dire en :

Registre courant : débile, handicapé.

Registre soutenu : homo non erectus.

INVERTÉBRÉ

Construit à partir du latin *vertebra*, articulation. Ce terme indique un classement parmi les animaux qui ne possèdent pas de colonne vertébrale ; on voit donc la nature de l'injure : traiter un individu d'« espèce d'invertébré », c'est lui exprimer son mépris devant son manque de consistance et de réflexion et le ranger auprès de la limace ou l'escargot.

Variantes : abruti, débile, mollusque, taré.
Comment le dire en :
  Registre courant : pauvre type.
  Registre soutenu : céphalopode du genre humain.

JEAN-FOUTRE

De Jean et de foutre. Si Jean tout seul est un prénom ancien plutôt bien porté, on comprend bien que se faire appeler « espèce de jean-foutre » ou « beau jean-foutre » n'est pas un compliment mais une injure, pour signaler un manque flagrant de sérieux et d'honnêteté ou une dose excessive d'hypocrisie.

Variantes : branleur, charlot, déconneur.
Comment le dire en :
  Registre courant : fumiste ; hypocrite.
  Registre soutenu : ergophobe ; désinvolte à plein-temps ; tartuffe.

JUDAS

Disciple qui trahit et livra Jésus. Se faire traiter de « Judas », c'est prendre de plein fouet tout le poids de la civilisation judéo-chrétienne condamnant la traîtrise. Parfois, par souci d'efficacité, on charge encore un peu plus cette injure forte par un « sale Judas ». Dès lors, on comprendra qu'un « baiser de Judas » est plutôt à fuir.

Variantes : faux cul, enflure.
Comment le dire en :
  Registre courant : traître ; hypocrite.
  Registre soutenu : apôtre mal-communiquant ; fourbe.

⚠ *Ne pas confondre avec le « judas », la petite lentille optique bien pratique posée sur une porte et qui permet de voir à l'extérieur.*

Kit express du savoir :
JURER

Les aléas de la vie quotidienne amènent à jurer et parfois la bonne éducation reçue, l'indignation, la stupeur mais aussi la douleur peuvent laisser en panne d'inspiration ou sans voix ; afin de remédier à l'inconfort d'un tel manque voici quelques

jurons adaptés à des situations bien connues :
- La rencontre d'un orteil avec un coin de meuble ou un pied de table : **putain, oh putain, putain, putain** (la répétition de « putain » est fonction de l'intensité de la douleur ressentie).
- Un rendez-vous important complètement oublié : **merde ! ah le con ! tête de piaf !**
- Un ratage, un échec : **et merde, et remerde ! quel abruti ! quel âne ! quel naze !** (en traînant sur chaque syllabe).
- Un manque de classe : **andouille ! quelle truffe !**
- Une surfacturation ou un redressement fiscal : **oh, les salauds ! les enculés !**

INJURIER

La vie n'est pas un long fleuve tranquille et les occasions sont nombreuses où l'on peut sortir de ses gonds lorsque l'on considère à juste titre (ou pas) qu'une limite a été franchie ; voici quelques situations où l'injure peut s'épanouir :
- Le différend automobile : chacun étant le meilleur conducteur du monde, l'injure fondamentale est : **connard** ou **connasse**. En cas de dépassement intempestif, de queue-de-poisson, **enculé** est tout indiqué.
- La divergence d'opinions : **abruti, pauvre con**.
- L'appréciation d'un collègue de travail peu efficace : **quel gland !**
- La contestation d'une décision arbitrale dans un stade de

football : **enculé ! aux chiottes l'arbitre ! pédé !**
- La découverte des manœuvres inamicales d'une connais-sance : **oh l'ordure, le fumier !**
- Un jugement sans aménité sur l'intégrité d'un homme poli-tique : **ah, le pourri !**
- Un échec cuisant dans une entreprise de séduction : **quelle pouffiasse !** (féminin) ; **quel gland !** (masculin).
- La découverte d'une manœuvre douteuse de la part d'un collègue qui vise votre place : **ah, l'ordure ! quel fumier ! le salaud ! le petit enculé ! sale petite raclure !**

LARD

Du latin *lardum*. La sagesse populaire affirme que dans « le cochon tout est bon » : ainsi, le lard, la graisse ferme et épaisse du porc, outre son inté-rêt culinaire, trouve également un usage dans le discours injurieux. Traiter une personne de « gros lard », c'est lui afficher ouvertement son dégoût pour sa surcharge pondérable ; quant à la tournure « tête de lard », elle souligne le caractère entêté d'un individu sans avoir l'agressivité de « tête de con ».

Variantes : boulot, patapouf, grosse vache ; abruti, chieur.

Comment le dire en :

Registre courant : corpulent, empâté ; entêté, obtus.

Registre soutenu : omnivore adipeux ; caractère à mobilité réduite.

LARVE

Du latin *larva*, fantôme. Forme embryonnaire de certains animaux, elle peut, comme pour la chenille, donner un magnifique papillon ; en revanche, utilisée comme injure, « espèce de larve », « pauvre larve », elle exprime un profond mépris devant le manque d'énergie, la faiblesse intellectuelle ou la situation sociale d'une personne.

Variantes : avorton, minus, trou du cul.

Comment le dire en :

Registre courant : minable, pauvre type.

Registre soutenu : habitant du cocon.

LAVETTE

Du verbe latin *lavare*, laver. On saisit bien comment ce petit morceau de tissu destiné aux travaux ménagers est devenu une insulte : utilisé pour laver et rendre plus propre, il est donc au contact de la crasse, de la souillure, du sale : c'est à cette proximité peu engageante que fait allusion l'insulte « c'est une vraie lavette », sous-entendu, il n'a aucun caractère, il s'abaisse à faire n'importe quoi.

Variantes : chiffe molle, gland.
Comment le dire en :
    Registre courant : lâche, mou.
    Registre soutenu : veule, souffrant de la bémolite aiguë.

LOPETTE

De « lope », altération de « lopaille », pédéraste passif. Être traité de « lopette » équivaut à un constat de manque de courage ; qu'elle soit belle, sale, petite, foutue, « lopette » est une injure qui cherche à souligner l'insignifiance de celui qui en fait l'objet. Aujourd'hui, la connotation sexuelle initiale a perdu de l'importance.

Variantes : chiffe molle, dégonflé, minus, tocard.
Comment le dire en :
    Registre courant : poltron ; minable, pitoyable,
loser.
    Registre soutenu : couard, chantre de la pusil-
lanimité ; bagatelle ambulante.

⚠ *Ne pas confondre avec la loquette qui est un
petit rouleau de laine préparé pour être filé.*

Littérature et gros mots

Vous connaissez la formule : dans chaque écrivain, il y a un
homme qui veille et dans chaque homme il y a un cochon qui
sommeille. Voici quelques exemples pour le vérifier.

« Les rois et les philosophes fientent, et les dames aussi. »
Montaigne

« Diantre !, que diantre !, de par tous les diantres. » Molière

« Que je te rosserais si j'avais du courage, double fils de
putain, de trop d'orgueil enflé ! » Molière

« Il échappait souvent de dire à la reine (en parlant de
Madame de Montespan) : cette pute me fera mourir. » Saint-
Simon

« Cornes du diable et nombril du Pape ! » Th. Gautier

« Sacré nom de Dieu de merde de nom d'une pipe de 25 000
pines du tonnerre de Dieu, sacré nom d'un pet. » G. Flaubert

« ... donne donc ta gueule, miroir à putain, que j'en fasse de la bouillie pour les cochons, et nous verrons après si les garces de femmes courent après toi ! » É. Zola

« Capon, cochon, félon, histrion, fripon, souillon, polochon ! » A. Jarry

« – Tu es bien gentille de t'occuper de mes affaires...

– Gentille mon cul, rétorqua Zazie. » R. Queneau

« Mille cinq cents putains de wagons de foutre ! » L.-F. Céline

« Un temps de nom de Dieu... de Dieu de vaches ! » F. Carco

« Merde pour le dernier des hommes, se dit-il, et pour Junie, et pour le besson. Merde pour tous. » J. Giono

« Quand on fera danser les couillons, tu ne seras pas à l'orchestre. » M. Pagnol

« Jamais les sœurs qui font le tas

Ne pourront chier des mecs comme ceux dont tu causes. » R. Desnos

« Vous êtes vraiment trop cons, dans ce quartier. » D. Pennac

« Vous pouvez pas savoir ce qu'elle peut m'emmerder, cette nom de Dieu de connasse ! » R. Fallet

« Ça va chier des bulles carrées. » San Antonio

MABOUL

De l'arabe *mahbûl*, fou. Ce terme exotique a fait le chemin jusqu'à nous avec son sens initial et l'armée d'Afrique au XIXᵉ siècle. Se dit de ou à quelqu'un dont le comportement s'éloigne de la normalité habituelle. Si « être un peu maboul » traduit un grain de folie, on comprend « qu'être complètement maboul » donnera du grain à moudre pour l'internement.

Variantes : dingue, givré, déjanté, siphonné, toqué.

Comment le dire en :

Registre courant : fou, dément.

Registre soutenu : altération du disque dur, tempête au faîte.

MANCHE

Du latin *manicus*, main. En utilisant ce terme au féminin pluriel, on peut « retrousser ses manches » et montrer ses bras et son ardeur au travail ; en revanche, son emploi au masculin singulier ouvre le discours de l'injure : ainsi « quel manche » exprime l'agacement devant la maladresse manuelle ou intellectuelle, chronique ou accidentelle, d'une personne.

Variantes : empoté, gourde ; couillon, taré.
Comment le dire en :
Registre courant : maladroit ; incapable.
Registre soutenu : manchot des deux mains ; éléphant dans un magasin de neurones en porcelaine.

MAQUEREAU

Du néerlandais *makelâre*, courtier. Désigne un personnage qui vit en eaux troubles en obligeant des femmes à se prostituer ; dans ces conditions, « l'infâme maquereau » paraît une insulte bien sentie.

Par ailleurs, elle peut être émise par un jaloux devant les succès féminins d'un concurrent pour réduire la portée de son mérite, « c'est un vrai maquereau ! ».

Variantes : mac, souteneur.

Comment le dire en :
    Registre courant : proxénète.
    Registre soutenu : exploiteur de l'avenir de l'homme.

⚠ *Évidemment, pas de confusion avec « le maque-reau » de la poissonnière... poisson fusiforme au dos gris-bleu rayé par un noir profond.*

MARIOLLE

De l'italien *mariolo*, de Marie (la Vierge). L'origine méditerranéenne peut expliquer les connotations d'excès et d'exubérance associées à ce terme : ainsi être traité de « mariolle » indique un manque de considération lié à un doute sur la crédibilité et la fiabilité ; « faire le mariolle » c'est jouer au plus fin et se l'entendre dire de manière ironique.

    Variantes : charlot, cinglé, guignol.
Comment le dire en :
    Registre courant : fou.
    Registre soutenu : agitateur permanent, mode d'emploi en chinois.

Contempler une « mariole » n'est pas l'observation d'une personne faisant l'intéressante ; c'est regarder une figurine représentant la Vierge.

MARTEAU

Du latin *martellus*, martel. Cet outil de percussion très utile pour enfoncer les clous peut devenir dangereux dans d'autres circonstances : on comprend aisément qu'une personne ayant reçu un coup de marteau sur la tête soit pour le moins « dérangée » ; c'est le sens de l'insulte « il est complètement marteau » indiquant un diagnostic de folie, seule possibilité trouvée pour expliquer un comportement ou des propos aberrants.

Variantes : barjo, dingue, cinglé, maboul, siphonné, timbré.

Comment le dire en :

Registre courant : bizarre, fou, insensé.

Registre soutenu : CDD (cohérence à durée déterminée).

MAUVIETTE

Du latin, *mauvis*, alouette. Ainsi nommé, cela signifie que le petit oiseau est gras et bon à manger et peut être servi en pâté ; attribué à une personne, le terme signifie exactement le contraire ! L'injure « Tu n'es qu'une mauviette » affirme l'aspect malingre, le manque de consistance, de courage, bref le manque de tout, rien à se mettre sous la dent !

Variantes : avorton, demi-portion ; trouillard.
Comment le dire en :
Registre courant : gringalet ; peureux.
Registre soutenu : ombre d'homme ; adorateur de Pan.

⚠ *Ne pas confondre avec la « mauvette », nom vulgaire du géranium à feuilles rondes.*

MERDE

Du latin *merda*, matière fécale. Ce terme prouve le génie humain du recyclage ; à partir de ses excréments, il peut fabriquer un juron tout simple pour traduire une déconvenue ou une douleur après le passage du marteau sur un doigt, « merde ! » ; lancer une insulte historique comme Cambronne qui répondit à l'injonction de se rendre des Anglais par un « Merde » (ici avec le sens de « je vous emmerde ») ; qualifier une personne, un événement, un objet par un « tout ça c'est de la merde » ; montrer une lucidité pessimiste par rapport à une situation, « on est dans la merde » ou au contraire constater l'aveuglement d'une personne, « elle a de la merde dans les yeux ! ».

En fait, avec la merde, on peut pratiquement tout faire en matière d'insultes et d'injures.

Variantes : caca (version enfantine) ; zut, bordel de merde ; allez vous faire voir ; c'est nul, dégueulasse ; mélasse, merdier ; trou du cul (on revient aux origines).

Comment le dire en :

Registre courant : flûte ; hors de question ; ça ne vaut rien ; on est dans une impasse ; il ne veut rien entendre.

Registre soutenu : palsambleu ; je vous conchie, je vous prie d'agréer l'expression de mes salutations fécales ; c'est complètement démonétisé ; nous sommes dans les limbes ; son canal lacrymal est bouché.

MORUE

Origine incertaine, peut-être une association du celtique *mor*, mer et de l'ancien français *luz* qui aurait donné merlu. Ce grand poisson qui vit dans les mers froides devient par la magie (!) de la métaphore le terme désignant une prostituée ; dès lors, il se transforme en injure lorsqu'il évoque une femme ne pratiquant pas cette activité : « tu as vu cette morue ! ».

Variantes : pute, greluche.
Comment le dire en :
Registre courant : prostituée, racoleuse.
Registre soutenu : péripatéticienne, ondine du trottoir.

MORVEUX

Origine incertaine, peut-être du méridional *gourme*. L'humeur visqueuse qui coule du nez confère le statut de morveux ; dans ce cas un mouchoir fait l'affaire. En revanche, « petit morveux » et « sale morveux » sont des insultes qui ramènent son destinataire à celui d'une jeune personne censée ne pas toujours maîtriser (par manque d'expérience) ses actes et ses pensées. *A contrario*, « se sentir morveux » exprime la prise de conscience sur un constat peu avantageux pour soi.

Variantes : trou du cul, péteux.

Comment le dire en :

Registre courant : gamin ; pas fier.

Registre soutenu : cerveau en devenir ; moi en capilotade.

Les injures du Midi de la France

Si le gros mot et l'injure tissent une vraie communauté du nord au sud et de l'ouest à l'est, il n'en reste pas moins que chaque région produit ses spécialités. Voici un échantillon à lire « avé l'assent », le chant des cigales, l'ombre d'un platane, et le murmure d'une fontaine.

Abricot : sexe de la femme

Argagnol : vaurien

Arò : nigaud

Bantariol : frimeur, vantard

Bigasse : grande gueule

Braguey : vache

Branlogate : branleur, bon à rien

Cagade : bêtise mais aussi petite merde

Carall : merde, zut mais aussi bite

Casse-berles : casse-couilles

Cougnin : niais, taré

Embechinà : emmerder

Estaloade : putain

Fan de puto : enfant de pute

Fouyrous : bâton merdeux

Gobi : niaiseux

Gringoun : pétasse, souillon

Louso : pet discret mais puant

Macarèu : maquereau

Pefon : bouffon

Penchinét : individu qui se la pète

Poitre : grosse pouffiasse

Quiquette : petite bite

Rapaton : racaille

Sadolaud : arsouille

Saute aux prunes : putain

Tetinarda : femme à forte poitrine

NABOT

Altération de nain-bot, du latin *nanus*, nain et du germanique *butta*, émoussé. Même si cette insulte fait dans la demi-mesure, elle possède le pouvoir de réduire celui à qui elle s'adresse : « espèce de nabot » marque le mépris devant la petitesse d'un comportement ou l'auteur d'une action ou d'une pensée.

Variantes : demi-portion, avorton, résidu de fausse couche.

Comment le dire en :

Registre courant : nain.

Registre soutenu : résident de Lilliput.

⚠ *Ne pas confondre avec le « nabot », anneau brisé très pratique pour raccorder des chaînes.*

NASE

Du latin *nasus*, nez. Au milieu du XIXᵉ siècle, le terme « nase » désignait en argot un syphilitique ; dès lors, on imagine aisément, même avec les progrès de la médecine, que dire à quelqu'un qu'il est « nase » n'est pas bon signe : effectivement c'est le constat qu'il est vraiment fatigué (physiquement ou/et mentalement) ; par extension un objet « nase » est bon pour la déchetterie. Par ailleurs, on l'aura compris, se faire traiter de « gros nase » n'est pas un compliment, mais plutôt une insulte pour traduire une médiocrité supposée.

Variantes : crevé, *destroy*, foutu, H.S., pété ; abruti, ramolli.

Comment le dire en :

Registre courant : épuisé, détruit, hors d'usage ; débile, idiot.

Registre soutenu : exténué, aux abonnés absents, en phase de déconstruction ; philosophe à temps partiel.

⚠ *Ne pas confondre avec le « nase », carpe des rivières européennes ; dans ce cas, attraper un gros nase fait le bonheur du pêcheur !*

NIGAUD

Abréviation de « Nigodème », nom populaire d'un disciple du Christ. La Déclaration des droits de l'homme de 1789 énonce clairement l'égalité entre tous les hommes ; malheureusement, l'intelligence, la vivacité d'esprit semblent parfois ne pas faire partie de ce droit fondamental : ainsi l'injure « espèce de nigaud » vient rappeler à son destinataire son manque de discernement, sa naïveté et sa maladresse.

Variantes : cornichon, couillon, gourde.
Comment le dire en :
   Registre courant : niais, idiot, sot.
   Registre soutenu : docteur ès bourdes.

NIQUER

D'origine arabe, *i-nik*, il fait l'amour. La psychologie humaine est complexe : ainsi les expressions de l'acte sexuel, plaisir fondateur de l'humanité, sont souvent utilisées pour produire des injures ; malgré son caractère exotique, « niquer » n'échappe pas à la règle : simple gros mot pour suggérer la réunion de deux êtres ou dans la tournure « niquer quelque chose », c'est-à-dire abîmer, ou « niquer quelqu'un », tromper, il devient une injure assez courante dans l'expression « va te faire niquer », pour suggérer à une personne d'aller voir ailleurs.

Variantes : baiser ; bousiller, péter ; enfler, entuber ; enculer, aller se faire foutre.

Comment le dire en :

Registre courant : faire l'amour ; abîmer, casser ; tromper, rouler ; aller, dégager.

Registre soutenu : unir ses intimités ; dégrader ; détourner du capital confiance ; délocaliser sa sexualité.

NŒUD

Du latin *nodus*. Pour en faire une injure, il ne faut pas voir dans le nœud un entrelacement d'objets flexibles (ou alors il faut avoir de l'imagination !), il faut convoquer l'image de l'extrémité de la verge appelée gland ou « nœud » ; à partir de ce rapprochement, traiter quelqu'un de « tête de nœud », c'est littéralement lui mettre le gland à la place du visage et du coup lui signifier son peu de perspicacité. Trouver une situation ou des propos « à la mords-moi le nœud », c'est manifester la complexité ou le peu d'intérêt de ceux-ci.

Variantes : branquignol, couillon, manche ;
bordel, bin's, foutoir, couillonnade.
Comment le dire en :
Registre courant : demeuré, stupide ; bazar,
chantier, ânerie, jargon.
Registre soutenu : esprit en jachère ; système
référentiel désactivé, billevesée, coquecigrue.

NOUILLE

De l'allemand *Nudel*. On peut imaginer que
c'est la consistance molle de cette pâte alimentaire
qui lui confère aussi la possibilité de faire office
de juron lors d'un ratage ou pour exprimer une
déception : « ah, quelle nouille » ; c'est cette même
mollesse qui est convoquée dans l'injure « c'est
une vraie nouille » pour souligner le manque de
dynamisme ou d'initiative d'une personne.

Variantes : abruti, demeuré, idiot, lambin.
Comment le dire en :
Registre courant : mou, lent ; imbécile.
Registre soutenu : être ou ne pas être.

ORDURE

Du latin *horridus*, sale. Le traitement des déchets est au cœur des préoccupations contemporaines, c'est pourquoi « ordure » constitue l'une des injures actuelles les plus efficaces : assimiler une personne à un détritus lui montre avec précision dans quelle estime on la tient, aucune équivoque n'est possible. On comprendra que « belle ordure » est une figure de style (un oxymore pour être précis) qui n'arrange rien et montre un degré d'exaspération mais sûrement pas d'admiration ; si l'on a l'esprit de classement, devant un cas exceptionnel, la formule « la pire des ordures » paraît tout indiquée.

Variantes : dégueulasse, enfoiré, fumier, salaud, salope.

Comment le dire en :

Registre courant : goujat, malpropre.

Registre soutenu : engeance, borborygme de l'humanité.

Les noms d'oiseaux

Pour quelles raisons les animaux couverts de plumes appartenant à la classe des vertébrés tétrapodes à sang chaud et, pour la plupart, dotés de la faculté de voler, servent-ils dans les situations d'injures et d'insultes ? La question restera évidemment en l'air ! Ce qui est sûr, c'est que l'expression « être traité d'un nom d'oiseau » indique bien une sentence de mépris destinée à enfoncer plus bas que terre et non une capacité à effectuer des voltiges aériennes ! En voici quelques exemples (avec leur équivalence) :

Aigle (« ce n'est pas un aigle » : manque de clairvoyance), **butor** (goujat), **coq** (macho), **dinde** (prétentieuse et idiote), **faisan** (escroc), **hibou** (vieux solitaire aigri), **linotte** (rien dans la cervelle), **oie** (« bête comme une oie » : n'a pas inventé l'eau tiède…), **perroquet** (répète sans comprendre), **pie** (bavarde), **pigeon** (facile à tromper), **poule** (femme entretenue), **vautour** (âpre au gain, profiteur).

PATATE

De l'espagnol *patata*, pomme de terre. Ce tubercule comestible mis au goût du jour par Parmentier au XVIIIe siècle permet de produire une petite insulte : « espèce de patate » constate la naïveté ou la bêtise d'une personne.

Variantes : abruti, demeuré, plouc.
Comment le dire en :
   Registre courant : benêt, nigaud, stupide.
   Registre soutenu : esprit de solanacée.

PET

Du latin *peditum*, vent. À une époque où les ressources fossiles s'épuisent, voilà un gaz intestinal sans cesse renouvelé et que chaque être humain produit dans des proportions variables : c'est au moment de son émission par l'anus qu'il produit un bruit plus ou moins perceptible (tout comme l'odeur d'ailleurs !). Ce gros mot se retrouve dans de nombreuses expressions comme « avoir un pet de travers » (ne pas être bien) ou « ça ne vaut pas un pet de lapin » (ça ne vaut rien). Il prend une connotation injurieuse dans la formule mystérieuse « espèce de pet-de-zouille » généralement comprise comme « pauvre type ».

Variantes : prout ; patraque ; que dalle ; plouc.

Comment le dire en :

Registre courant : vent ; malade, indisposé ; sans valeur ; minable.

Registre soutenu : flatuosité ; souffrant ; démonétisé ; actionnaire du vent.

PÉTASSE

Construit sur le latin *pedere*, péter. Dans sa préhistoire, cette injure s'adressait à une femme que l'on cherche à déconsidérer en l'assimilant à une prostituée ; aujourd'hui « une pétasse » désigne de manière plus vague une femme dont le comportement et la faculté de raisonnement paraissent dignes de mépris.

Variantes : grognasse, pouffiasse, roulure.

Comment le dire en :

Registre courant : idiote, femme de mauvaise vie.

Registre soutenu : sirène de fond, Vénus de grande surface.

⚠ *Ne pas confondre avec le « pétase », chapeau à large bord, protégeant du soleil et de la pluie.*

PIGNOUF

D'origine dialectale *pigner*, crier, pleurer. Ce terme est aujourd'hui un peu désuet, pourtant il renvoie à une situation toujours d'actualité ; ainsi, « quel pignouf ! » exprime une exaspération devant un comportement jugé grossier.

Variantes : butor, dégueulasse, fripouille.
Comment le dire en :
Registre courant : goujat, rustre.
Registre soutenu : expert en muflerie.

PINE

Du latin *pinea*, pomme de pin. Ce gros mot appartient à une longue cohorte de termes désignant le membre viril : pour certains, cette abondance serait seulement destinée à combler un éventuel trou… de mémoire.

Variantes : biroute, bite, engin, quéquette, zizi, zob.
Comment le dire en :
Registre courant : voir « bite ».
Registre soutenu : idem.

⚠ *Ne pas confondre avec « la pinne », grand coquillage marin, appelé communément le jambonneau.*

PISSEUX

Du latin *pissiare*, pisser. Si le pisseux peut évoquer une couleur passée, jaunie, on sent bien que le « pisseux » incarné ne jouit pas d'une très haute considération, dans la mesure où il réduit l'individu à sa seule capacité à uriner. L'injure prend un tour sexiste lorsqu'elle s'adresse à une femme.

Variantes : branleur, petit merdeux (il faut choisir sa matière !).
Comment le dire en :
Registre courant : pauvre type.
Registre soutenu : OVNI (objet visible non identifié).

PLAIE

Du latin *plaga*, blessure. Ouverture dans les chairs ou au nombre de dix dans l'Égypte des pharaons, ce terme évoque tout de suite la douleur, le fléau ; c'est aussi le cas dans la formule injurieuse « quelle plaie ! » où il exprime le caractère pénible, voire insupportable d'un individu.

Variantes : casse-couilles, chieur, emmerdeur, purge.
Comment le dire en :
    Registre courant : casse-pieds, raseur.
    Registre soutenu : fâcheux, briseur de sérénité.

PLOUC

De l'apocope des noms de communes bretonnes en *plouc* et en *ploug*. Insulte typiquement citadine pour désigner un comportement emprunté ou ignorant les codes sociaux en vigueur ; « quel plouc ! » traduit aussi un sentiment de supériorité fondé sur l'idée que l'air de la ville rend plus intelligent que celui de la campagne ; dès lors on pourra s'interroger sur le comportement paradoxal des urbains fuyant régulièrement (week-ends et vacances) leur environnement intelligent pour rejoindre celui des ploucs.

Variantes : bouseux, pet-de-zouille, péquenaud.

Comment le dire en :
  Registre courant : paysan.
  Registre soutenu : habitant du sillon.

POUFFIASSE

Origine inconnue, peut-être de « pouffer », écla-
ter de rire. On sait que les suffixes en « asse » sont
rarement élogieux : « pouffiasse » ne déroge pas
à la règle ; traiter une femme de « pouffiasse »,
c'est soit lui rappeler son activité de prostituée,
soit, et c'est le plus courant, souligner une allure,
une silhouette que l'on trouve vulgaire. Pour lever
toute ambiguïté sur la gentillesse du terme, on
dit le plus souvent « grosse pouffiasse ».

Variantes : boudin, grognasse, pétasse, thon.
Comment le dire en :
  Registre courant : femme sans élégance.
  Registre soutenu : muse au lever du lit.

POURRITURE

Du verbe latin *putrere*, pourrir. On comprend
que cette décomposition des tissus organiques

ne sente pas très bon et produise une injure forte
et bien sentie qui traduit l'écœurement devant
un comportement douteux, amoral. Si « pourriture » se suffit à lui-même, rien n'interdit de pré-
ciser sa pensée ; ainsi, l'adjectif « petite » dans la
formule « petite pourriture » ne jouera pas un rôle
réducteur mais signalera l'aigreur de l'attaque ;
« sale » dans la formule « sale pourriture » produira
un effet pléonastique amplifiant encore l'injure.

> **Variantes :** grosse merde, fumier, ordure,
> pourri, ripou, saloperie.

Comment le dire en :
> **Registre courant :** malhonnête, ignoble.
> **Registre soutenu :** gangrené de l'âme.

⚠ *Ne pas confondre avec le vase « la pourriture »*
dans lequel on fait macérer l'indigo pour obte-
nir ensuite une belle couleur bleue.

PUTAIN, PUTE

Du latin *putidus*, puant. Ce terme malodorant
a pris dès le Moyen Âge le sens actuel de prostituée. Ses effluves forts en font un juron bien

senti pour exprimer un ratage ou une admiration non feinte sous sa forme simple, « putain », ou développée dans le Sud, « putain con » ; il devient une injure de première force dans des formules comme « sale putain », « vieille pute », « vraie pute » pour marquer sa colère, son mépris face à un comportement que l'on juge inadmissible et contraire à sa morale et à ses intérêts ; « fils de pute » est l'injure adéquate pour exprimer un constat écœuré devant des manœuvres dont on est la victime.

Variantes : merde, vache ; enculé, fumier, ordure, salopard, salope.

Comment le dire en :

Registre courant : punaise, zut ; goujat, malpropre.

Registre soutenu : diantre, palsambleu ; hétaïre, P…

Pensées sur la portée des injures

L'injure mérite réflexion, en voici quelques exemples :

« Mieux vaut encore subir l'injure que la commettre ». Socrate.

« L'important n'est pas la manière dont l'injure est faite, mais celle dont elle est supportée ». Sénèque

« Les injures sont les raisons de ceux qui ont tort ». Jean Racine

« Le meilleur remède contre les injures, c'est de les mépriser ». Mateo Aleman

« Mais si on disait toujours la vérité, dans le monde... on passerait sa vie à se dire des injures ». Eugène Labiche

« Je connais un tas de types à qui je ne pardonnerai jamais les injures que je leur ai faites ». Georges Clemenceau

« Pourquoi lave-t-on une injure alors qu'on essuie un affront ? » Alphonse Allais

« Les marques du fouet disparaissent, la trace des injures, jamais ». Proverbe africain.

La politique

On a coutume de reprocher aux hommes politiques d'utiliser la langue de bois, en d'autres termes de maintenir à distance leurs pensées et leurs actes par l'emploi d'une rhétorique bien huilée ; c'est oublier que derrière chaque politique se cache un homme, c'est-à-dire un être amateur de gros mots, d'insultes et d'injures en tout genre.

La plupart du temps, cette production injurieuse s'est réalisée lors de débats à l'Assemblée nationale, à la télévision, à la radio et plus rarement par le biais d'articles, tant il est vrai que l'injure est d'abord un art oratoire. En voici quelques exemples :

Abstracteur de quintessence
Adjudant monté en graine
Agent de l'étranger
Agioteur
Apollon des abattoirs
Babouin
Bâton merdeux
Boutiquier
Brute véreuse
Calotin
Chiffe molle
Constipé des méninges
Cyprès triste
Embusqué
Esthète de lard
Éteigneur de réverbères
Fouille-merde
Foutriquet
Graine de con
Gugusse
Invertébré

Margoulin
Mongol de caoutchouc
Moule à gaufres
Négrier
Nostalgique du macadam
Œil de Moscou
Paltoquet
Pelle à merde
Pignouf
Pourri
Requin
Roquet
Satellite du bleu d'Auvergne
Scélérat
Squelette endimanché
Suceur de sang
Tapette
Tête de congre
Trépané des burettes
Turlupin
Valetaille

QUEUE

Du latin *coda, cauda*. Ce gros mot appartient à la grande famille des termes désignant le membre viril ; son emploi traduit peut-être une propension ou une nostalgie à rappeler l'animalité de l'être humain : en effet, on se rappellera que la « queue » est d'abord cet appendice plus ou moins long prolongeant la colonne vertébrale de nombreux mammifères.

Variantes : bite, pine.
Comment le dire en :
Registre courant : voir « bite ».
Registre soutenu : idem.

⚠ *En rencontrant l'expression « assemblage à queue perdue », nul besoin de fantasmer : il s'agit simplement en maçonnerie d'un assemblage dont les joints sont recouverts.*

Attention, une langue peut en cacher une autre...
La langue française a voyagé... et d'un lieu à l'autre certains mots ont changé de sens : ici gros mot, juron ou injure, là-bas

tout autre chose. Voici quelques exemples de ces transformations entre la France et le Québec :

	FRANCE	QUÉBEC
Balance :	mouchard	reste, solde
Bibite :	petit pénis	insecte, araignée
Branler :	masturber	hésiter
Branleuse :	imbécile	indécise
Chiard :	enfant	pétrin ; drame
Crotte :	petit étron	amertume
Foirer :	rater	faire la fête
Gruger :	tromper	ronger
Nœud :	idiot	obstacle
Pine :	pénis	à toute vitesse
Poteau :	grosse jambe difforme	sympathisant politique
Train :	postérieur	bruit

Chez nos cousins du Québec

Rabelais avait constaté que le rire était le propre de l'homme ; il aurait pu, en grand spécialiste de la langue qu'il était, ajouter que le gros mot, l'injure et le juron faisaient aussi partie de ce « propre » (ou de ce sale !).

En tout cas, le temps et la distance de l'océan n'ont pas fait oublier à nos cousins du Québec cet aspect de l'humanité comme le prouve ce petit florilège.

Batême : juron qui sert à tout : merde, zut
Bitch : son of bitch : fils de pute
Calisser : se foutre de la gueule
Calvaire : juron qui sert à tout : merde, zut
Chnoute : merde
Crosser (se) : se branler
Crosseur : branleur
Écœurant : chiant
Fesses : jouer aux fesses : baiser
Frais-chié : puant
Fuck : enculé, bordel de merde
Guidoune : pute
Mardeux : avoir du cul (de la chance au jeu)
Nono : imbécile
Pioche : abruti
Sacrer (se) : s'en foutre
Tabarnak : juron de base au Québec
Torche : pouffiasse
Trappe : gueule
Trou : cul
Zarzoin : niaiseux

RACAILLE

Du latin *rasicare*, gratter, racler. Ce terme un peu désuet a retrouvé ces dernières années une seconde jeunesse ; insulte, il désigne un collectif pour lequel on exprime mépris et défiance : « toute cette racaille » ; dans une démarche sélective et comparative, « la pire des racailles » soulignera une mention spéciale accordée à une personne dont il faut absolument se méfier.

Variantes : petite frappe, loubard, margoulin, zonard.

Comment le dire en :

Registre courant : escroc, fripouille, voyou.

Registre soutenu : engeance d'habitat collectif.

RACLURE

Construit à partir du verbe latin *radare*, racler, raser. Résultat d'une opération qui consiste à ôter par raclement une parcelle d'un corps, « la raclure », petit déchet, demeure une injure forte malgré un contexte où la valorisation des déchets devient une priorité majeure. Ainsi, « espèce de raclure » conserve toute son efficacité pour afficher avec virulence son mépris.

Variantes : fumier, ordure, roulure.
Comment le dire en :
    Registre courant : déchet, rebut.
    Registre soutenu : scorie de l'évolution.

RAMOLLI

Construit à partir du latin *mollis*, mou. Rendre moins dur dans un monde sans concession peut sembler une action louable, mais paradoxalement traiter quelqu'un de « ramolli » ou pire de « vieux ramolli » est une injure pour signifier le manque de caractère, de vivacité ou une faculté de raisonnement amoindrie.

Variantes : cloche, gourde ; débile, gâteux, nase.
Comment le dire en :
    Registre courant : bête, mou ; sénile.
    Registre soutenu : athlète de bas niveau ; fin de carrière.

RAT

Origine incertaine, peut-être du latin *radere*, ronger. Rat des champs ou rat des villes, on saisit bien qu'être traité de « rat », c'est-à-dire comparé à ce petit mammifère à museau pointu connu pour sa voracité et sa prolificité, n'est pas un compliment. C'est en effet une insulte adressée à un groupe, « bande de rats » ou une expression de mépris (ou de dépit !) devant l'avarice d'une personne : « quel rat ! ». Pour exprimer son mécontentement face à un comportement désobligeant ou sa répugnance devant l'absence de beauté d'un visage, un « face de rat » fera l'affaire.

Variantes : chieur, connard, casse-couilles ; radin, rapiat ; tête de con, de nœud.

Comment le dire en :

Registre courant : casse-pieds ; avare ; gêneur, malotru ; affreux.

Registre soutenu : importun, fâcheux ; fesse-mathieu ; amnésique des bonnes manières ; *elephant man*.

RASOIR

Du verbe latin *radere*, tondre, raser la barbe. Autant l'instrument servant à raser les poils suppose un tranchant d'une grande finesse, autant une conversation ou une personne « rasoir » évoque la lourdeur, le manque de vivacité et d'intelligence. On peut aussi imaginer qu'un discours devient « rasoir » lorsqu'il entreprend de couper les cheveux en quatre !

Variantes : chiant, raseur (ou raseuse).
Comment le dire en :
　Registre courant : assommant ; inintéressant, fastidieux.
　Registre soutenu : Figaro de l'inutile ; dialectique du brouillard.

RINGARD

Origine incertaine. En revanche, ce qui est sûr c'est qu'être traité de « ringard » signale un caractère démodé, dépassé et médiocre ; d'abord exclusivement réservé au monde artistique, l'usage de ce terme s'est révélé également pertinent dans d'autres domaines.

Variantes : *has been,* nul, tocard.

Comment le dire en :

Registre courant : vieillot, pas à la page, out.

Registre soutenu : antiquaire de la modernité, ancien à plein-temps.

Rabelais

Rabelais n'était pas le dernier en matière d'injures ; voici une réserve pour les jours de disette :

Les fouaciers [...] les outragèrent gravement en les traitant de mauvaise graine, de coquins, de chie-en-lit, de vilains drôles, de faux jetons, de goinfres, de ventrus, de vantards, de vauriens, de rustres, de casse-pieds, de pique-assiette, de matamores, de fines braguettes, de copieurs, de marauds, de tire-flemme, de malotrus, de lourdauds, de nigauds, de marauds, de corniauds, de farceurs, de farauds, de bouviers d'étrons, de bergers de merde, et autres épithètes diffamatoires de même farine. Rabelais, *Gargantua,* 1534.

SAGOUIN

Du portugais *sagui*. Ce terme lusitanien désigne d'abord un petit singe d'Amérique du Sud, plus connu sous le nom joyeux de ouistiti ; utilisé comme injure, « espèce de sagouin » désigne une personne qui travaille en dépit du bon sens, salement, ou met de la constance à produire des choses impropres à tout usage. Une telle injure est donc destinée à ramener son destinataire à un stade inférieur de l'évolution des espèces.

Variantes : crado, dégueulasse, saligaud, salopiaud.

Comment le dire en :

Registre courant : cochon.

Registre soutenu : esthète du mal fait.

SALAUD

Du francique *salo*, sale. Ce terme est un des piliers de l'univers de l'injure : il caractérise un individu au comportement méprisable, aux actes moralement écœurants ; c'est pourquoi il apparaît souvent sous une forme exclamative : « quel salaud ! » On ne peut évidemment pas ignorer « le vieux salaud » qui souligne l'ancienneté de la dépravation, tout comme « l'enfant de salaud » inscrit dans une lignée ; le « beau salaud » caractérise d'une manière esthétique l'intensité du mépris éprouvé. On observera cependant que « salaud » peut apparaître comme un simple gros mot à caractère amical, voire affectueux et admiratif dans la tournure « eh, ben, mon salaud ! ».

Variantes : dégueulasse, enflure, fumier, ordure, salopard, saligaud.

Comment le dire en :

Registre courant : goujat, malhonnête, malpropre.

Registre soutenu : docteur ès vilenies.

SALOPE

Sans doute formé du francique *salo*, sale et de *hoppe*, huppe, oiseau réputé pour sa saleté. La parenté avec « salaud » classe naturellement ce terme dans le registre de l'injure. Si à l'origine, l'appellation « salope » était adressée à une femme dont l'appétit sexuel réglait le comportement, son

domaine d'application s'est largement étendu :
ainsi une « belle salope » pourra concerner autant
une femme qu'un homme à qui l'on veut signifier un mépris absolu.

Variantes : pute, saloperie.
Comment le dire en :
　Registre courant : femme facile ; canaille, crapule,
　escroc.
　Registre soutenu : Vénus à plein-temps ; prince
　du marécage.

⚠ *Lors d'une promenade au bord d'un fleuve ou*
d'un canal, l'exclamation « oh, la Marie-
Salope ! » ne s'adressera pas à une personne qui
passe mais désignera un bateau assurant le
dragage des fonds.

SAPAJOU

D'origine tupi (Brésil). La parenté et donc les
ressemblances avec les singes ne sont pas toujours bien admises ; c'est pourquoi certains en
profitent pour utiliser les noms de ces primates
avec l'intention d'insulter. Le « sapajou », petit singe

d'Amérique du Sud, possède une face entourée de poils dressés, qui ne correspond pas exactement aux canons de l'esthétique humaine ; dès lors, se faire traiter de « sapajou » ou pire de « vieux sapajou » indique un constat de laideur avérée.

Variantes : moche, pou, tarte, tronche de cake.
Comment le dire en :
   Registre courant : laid.
   Registre soutenu : hideux, Quasimodo.

SCÉLÉRAT

Du latin *sceleratus*, crime. Même si ce terme appartient à un niveau de langue soutenu, son emploi n'en conserve pas moins son caractère injurieux, car « le scélérat » est celui qui commet des crimes ou des actions fortement répréhensibles.

Variantes : escroc, fumier, salaud.
Comment le dire en :
   Registre courant : bandit, criminel, truand.
   Registre soutenu : flétrissure à visage humain.

SUCER

Du latin *sugere*, formé sur *succus*, suc. Cette action d'aspirer au moyen des lèvres reste un terme convenable s'il s'agit de sucer une pastille, une tétine ou son pouce ; en revanche, il passe dans la catégorie des gros mots à connotation érotique quand il est question de « sucer quelqu'un », en d'autres termes de pratiquer le cunnilingus ou la fellation. Il devient une injure quand pour exprimer son désaccord et marquer la fin de la conversation une personne dit « va te faire sucer ».

Variantes : pomper, tailler une pipe ; dégager, foutre le camp.

Comment le dire en :

Registre courant : exciter les parties génitales ; congédier.

Registre soutenu : embrasser les enfants d'Éros ; délocaliser la conversation.

Un monde San Antonio

Les dizaines de romans de Frédéric Dard (San Antonio) sont des mines de formules fulgurantes à la croisée de l'expérience linguistique et de la pensée philosophique ; que choisir ? La place manque ici, contentons-nous de cet aphorisme sur l'injure :

Dire à quelqu'un qu'il est un con, ce n'est pas une injure, c'est un diagnostic. Frédéric Dard

TIMBRÉ

Du grec *tumpanon*, tympan, tambour. Lorsque ce terme est une insulte (de faible intensité), il n'a rien à voir avec le courrier ou l'acte timbré qui correspond à l'application d'une vignette d'une certaine valeur ; « quel timbré » s'applique à un individu qui semble ne plus avoir toute sa raison ; le jugement est plus définitif, voire plus inquiet dans l'expression « mais, il est complètement timbré ! ».

Variantes : cinglé, givré, à la masse, maboul.
Comment le dire en :
Registre courant : débile, dérangé, malade mental.
Registre soutenu : oblitéré du cervelet.

TOCARD

Du normand *toquart*, tête. Dans le monde hippique, le « tocard » est un mauvais cheval sur lequel il serait imprudent de parier ; cette mise en garde vaut aussi dans le monde des humains : ainsi, traiter quelqu'un de « tocard », c'est le considérer comme sans valeur, le classer du côté des perdants et, en toute logique lui signifier que l'on se passera de ses services.

Variantes : cave, foireux, loser.

Comment le dire en :

Registre courant : perdant.

Registre soutenu : abonné au pied du podium.

TRAÎTRE

Du latin *traditor*, traître, mais aussi maître. Voilà une insulte de premier ordre ; lancée, elle dénonce avec véhémence un abandon, un reniement, une perfidie ; elle est idéale pour créer un climat de tension extrême, car il est évidemment pénible de s'entendre traiter (anagramme de traître !) de « sale traître » sans réagir.

Variantes : faux cul, faux derche, faux-jeton, pas franc du collier.

Comment le dire en :

Registre courant : fourbe, hypocrite, Judas.

Registre soutenu : pharisien, illusionniste de la confiance.

TROU

Du latin *traucum*. Cette cavité anatomique se trouve en de multiples endroits du corps humain : gros mot, il désigne l'anus et le sexe féminin ; grâce à une redondance de précision, il peut se transformer en injure dans des expressions comme « trou du cul » ou « trou de balle » pour signifier une prétention forcément mal placée.

Variantes : connaud, débile, chochotte, petit merdeux.

Comment le dire en :

Registre courant : prétentieux, vaniteux.

Registre soutenu : présomptueux, alpiniste de plaine.

⚠ *Le « trou-madame » n'est pas une invitation ou*

une allusion sexuelle mais un jeu d'adresse qui consiste à pousser treize petites boules dans des trous marqués de différents chiffres.

TRUFFE

Du latin *tufera*, tubercule. Blanche, noire, du Périgord ou en chocolat, elle a ses amateurs ; mais dire de quelqu'un « quelle truffe ! », c'est lui témoigner de l'exaspération devant son attitude ou l'idiotie de ses propos.

Variantes : abruti, empoté, manche.
Comment le dire en :
Registre courant : balourd, maladroit.
Registre soutenu : gaucher des deux mains.

TRUIE

Du latin *porcus troianus*, porc farci. Il est convenu dans les conversations familières que dans « tout homme sommeille un cochon » ; par souci d'analogie ou d'équité, dire d'une femme que c'est « une vraie truie » n'est donc pas véritablement une amabilité mais plutôt un constat sur son allure ou ses manières jugées peu engageantes. Avec la tournure « grosse truie », on s'éloigne encore davantage de la galanterie pour souligner une surcharge pondérale visible à l'œil nu.

Variantes : boudin, cochonne, dégueulasse, pouffiasse.

Comment le dire en :

Registre courant : malpropre, souillon, grosse.

Registre soutenu : ingratitude au féminin.

Les Tontons flingueurs

Les célèbres « tontons » du film de Georges Lautner (dialogues de Michel Audiard) sont connus pour leur propension à produire des gros mots, jurons et autres insultes menaçantes. Voici quelques exemples :

– *Les cons, ça ose tout. C'est même à ça qu'on les reconnaît !*

– *Touche pas au grisby, salope !*

– *Tu sais pas ce qu'il me rappelle ? C't'espèce de drôlerie qu'on buvait dans une p'tite taule de Biénoa pas tellement loin de Saigon... Les volets rouges... et la taulière, une blonde comaque... Comment qu'elle s'appelait nom de Dieu ?*

– *Non, mais t'as déjà vu ça ? En pleine paix ! Il chante et puis crac ! Un bourre-pif ! Il est complètement fou ce mec !!!*

> – *Mais moi, les dingues, je les soigne ! J'vais lui faire une ordonnance, et une sévère !*

VACHE

Du latin *vacca*. La femelle du taureau est bien plus qu'une productrice de lait et de viande : animal sacré en Inde, elle sert aussi de support à de multiples jurons et insultes. Ainsi « vache » ou « grosse vache » adressée à une femme souligne sa surcharge pondérale et/ou son manque d'élégance ; la formule exclamative « la vache ! » permet d'exprimer l'admiration, la stupeur ou l'indignation ; « quelle vache » ou « peau de vache » souligne la dureté et le manque de souplesse d'une personne. Enfin le célèbre, mais aujourd'hui désuet, « mort aux vaches » qui indiquait d'une manière radicale une hostilité aux forces de l'ordre.

Variantes : boudin, pouffiasse ; merde, putain ; ordure, salaud ; mort aux keufs.

Comment le dire en :

Registre courant : obèse, souillon ; super, bluffant, inadmissible ; petit chef, sans cœur ; à bas la police.

Registre soutenu : déesse callipyge ; déstructurant, border line ; management sibérien ; sus aux référents institutionnels.

⚠ *Si quelqu'un prétend avoir pêché une vache, il ne faut pas réclamer son internement : il s'agit probablement d'une raie.*

VENDU

Du verbe latin *vendere*, vendre. Quand on se tourne vers une personne en lui disant « adjugé, vendu », celle-ci comprend qu'elle vient de remporter une enchère et peut-être de réaliser une bonne affaire ; en revanche, se faire traiter « d'espèce de vendu » exprime un dégoût prononcé dénonçant la compromission, la corruption, la vénalité ; cette injure trouve un usage assez fréquent dans le domaine des institutions et de la politique.

Variantes : magouilleur, ripou.

Comment le dire en :
   Registre courant : corrompu, crapule.
   Registre soutenu : adorateur de filigranes ;
   handicapé de la probité.

VÉROLE

Du latin *variola*. Maladie éruptive dans le cas
de la petite vérole (variole) ou maladie vénérienne
contagieuse dans le cas de la grande vérole
(syphilis) ; force est de constater que le terme
n'annonce rien de bon ; ainsi l'injure « espèce de
vérole » engage un diagnostic sans équivoque :
elle caractérise un individu dont les actions douteuses et le contact malsain sont absolument à
éviter.

   Variantes : choléra, ordure, peste, pourri,
purge.
Comment le dire en :
   Registre courant : combinard, comploteur,
individu louche, manipulateur.
   Registre soutenu : agent pathogène, vibrion
septique.

VOMISSURE

Du verbe latin *vomere*, vomir. Produite d'un spasme et rejetée par la bouche, la « vomissure » n'évoque jamais les senteurs fraîches d'un mimosa à la rosée du matin ; dès lors, utiliser « vomissure » comme insulte, indique l'intensité d'un mépris, d'un rejet écœuré envers un individu.

Variantes : dégueulis, pourriture.
Comment le dire en :
Registre courant : dégoûtant, écœurant.
Registre soutenu : abjection humaine, magasinier en putréfactions.

VOYOU

Du latin *via*, voie. Si ce terme peut prendre une connotation affectueuse dans des expressions comme « petit voyou », « gros voyou », « grand voyou », il conserve néanmoins une efficacité injurieuse pour dénoncer des comportements délictueux : au singulier, la condamnation « sale petit voyou » ne souffre d'aucune ambiguïté ; au pluriel, « bande de voyous » conserve également son effet péjoratif.

Variantes : arsouille, blouson noir, crapule, fripouille, loubard.

Comment le dire en :

Registre courant : chenapan, effronté, malhonnête, mauvais garçon, vaurien.

Registre soutenu : percepteur sauvage ; intérimaire de l'honnêteté.

La bordée de Boris

Musicien, chanteur, écrivain, contestataire, Boris Vian savait aussi jouir du gros mot et de l'injure.

En tout cas, dit-il, si je tenais le salaud d'enfant de pute à la graisse de couille de kangourou qui a foutu ce nom de Dieu de bordel de merde d'installation d'une façon aussi dégueulasse... éh bien... comme on dit, je ne lui ferais pas mes compliments.

Boris Vian, *Le Plombier*, in *Les Fourmis*, 1949

ZÉRO

De l'italien *zefiro*, traduit de l'arabe *sifr*, vide, zéro. Ce nombre représente des ordres d'unités absentes, un ensemble vide ; c'est pourquoi quelqu'un qui s'entend traiter de « zéro » doit saisir qu'il ne compte pas beaucoup dans l'esprit de l'émetteur et qu'il s'agit bien d'une injure ; celle-ci peut d'ailleurs varier en intensité grâce à l'adjonction de « double » ou « triple », même si le raisonnement mathématique rappelle que cela ne fait toujours que « zéro ».

Variantes : abruti, crétin, nullard.
Comment le dire en :
   Registre courant : incompétent, nullité.
   Registre soutenu : explorateur de néant, ectoplasme de l'extrême.

ZONARD

Du grec *zônê*, ceinture. C'est dans un espace urbain, situé le plus souvent dans la banlieue d'une grande ville, qu'un individu peut se transformer en « zonard » en menant une vie en marge des règles de la société ; l'appellation de « zonard » traduit donc des compétences géographiques assorties d'un mépris et d'une condamnation pour la personne qui commet ces écarts.

Variantes : loubard, kéké (récent), traîne-savates (vieilli).

Comment le dire en :

    Registre courant : jeune des cités, voyou.

    Registre soutenu : potentiel de surprises urbaines.

Table des curiosités

Curiosités régionales

Curiosités philosophico-politiques

Index alphabétique

Les mots en caractères gras correspondent à des définitions ; les autres mots indiquent des mots et expressions cités dans les variantes.

Index thématique

Le sexe, tendances et pratiques

Les animaux

Viandes, fruits et légumes

VOUS AVEZ AIMÉ CE LIVRE ?

Vous trouverez également dans la même collection

LES TITRES LANGUE FRANÇAISE

* *La Conjugaison correcte*, Jean-Joseph Julaud
* *Les Contrepèteries*, Joël Martin
* *La Grammaire facile*, Jean-Joseph Julaud
* *Le Français correct*, Jean-Joseph Julaud
* *Les Pluriels*, Patrick Burgel
* *Petite Anthologie de la Poésie*, Jean-Joseph Julaud

LES TITRES CULTURE GÉNÉRALE

* *Les Dieux et héros de la mythologie*, Colette Annequin
* *Les Dieux et pharaons*, Pascal Vernus
* *Les Grandes Dates de l'Histoire de France*, Jean-Joseph Julaud
* *Les Grands Personnages de la Bible*, Éric Denimal
* *Les Présidents de la République*, Philippe Valode
* *Les Rois de France*, Jean-Baptiste Santamaria
* *Les Symboles*, Fabrizio Vecoli
* *Petits et Grands Personnages de l'Histoire de France*, Jean-Joseph Julaud
* *Présidentielles, pour qui voter ?*, Lionel Cottu
* *+ de 800 questions, Catégorie Lettres*, Jean-Joseph Julaud
* *+ de 800 questions, Catégorie Sciences*, Jean-Joseph Julaud

Pour être informé en permanence sur notre catalogue
et les dernières nouveautés publiées dans cette collection,
consultez notre site Internet à www.efirst.com